JN152934

新版 散歩で見かける 草花・雑草 図鑑

Flowering plant & weed

写真 鈴木 庸夫
解説 高橋 冬

※イラストは開花期のイメージです

本扉・マップ イラスト制作
清野 典子(せいの のりこ)

もくじ *Contents*

新版 散歩で見かける
草花・雑草図鑑
Flowering plant & weed

まえがき

地球温暖化と言われるようになってからだいぶ時間が経ちますが、このごろでは世界各地の異常気象を耳にするようになり、春から秋にかけて長く暑い日が続き、季節の変わり目も実感しにくくなってきました。フィールドの自然の様子も大きな変化が見えてきて、花の咲く時期がずれ、暖かい地方で育つ植物がそこかしこに見られるようになるなど、気候の変化を身近にも感じられるようになっています。こうした中で改訂を重ねてきた『草花・雑草図鑑』ですが、今回は掲載種の見直しやページを増やしての種類の追加、花の咲く時期の見直し、また近年のDNAの解析、研究でのAPG(※)分類体系の最新情報の掲載などなど、「改訂新版」として作業をすすめこの本が出来上がりました。

この本で古くから見られる花や新たに目につくようになった草など、多くの草花たちの最新の情報に触れ名前を覚えて友達になってあげてください。

なお、これらの解説にいくつかの植物用語を使う必要がありましたので、次ページでその用語を説明します。

※APG（Angiosperm Phylogeny Group）

分類について

わたしたちのまわりにはいつもさまざまな植物があります。そしてそれらは、例えばハコベは「ナデシコ科」というようにグループごとに分けられています。「科」の上の段階には「目」という分け方があり、さらに下には「属」

というグループがあります。

この分け方ですが、これまでは植物の形やつくりなど、主に形態的な観点から分類されていました。しかし現在は DNA の解析による研究が進み、APG 分類体系として主流になりつつあります。今回の改訂新版では APG 分類体系に準じた科名にしています。

舌状花（ぜつじょうか）	ヒマワリでは花びら 1 枚 1 枚が 1 個の花でそれを舌状花という。キク科に見られる。
筒状花（とうじょうか）	ヒマワリでは中心部にあって花びらを持たない筒状の花のこと。キク科に見られる。
萼（がく）	花のいちばん外側にあって花を支えるもの。
冠毛（かんもう）	タンポポなどの果実の上部につく毛のこと。もとは萼が変形したもの。
葯（やく）	雄しべの先にあり成熟すると花粉を放出する袋状の部分。
苞葉（ほうよう）	もとは花を包んでいた葉の変形したもの。
総苞（そうほう）	タンポポでは花のつけねの部分の苞葉が集まったもののこと。
芒（のぎ）	カラスムギなどイネ科の花の穂につく、かたい毛のような部分。
対生（たいせい）	ハコベの葉のように茎の節に 2 枚の葉が互いに向き合ってつくこと。
互生（ごせい）	イタドリの葉のように茎に交互に葉がつくこと。
鋸歯（きょし）	葉のふちのぎざぎざのこと（ヘビイチゴなど）。

この本の使い方

本書では、公園や住宅地などの花壇で見られる園芸植物と、空き地や野原で見かける野草や帰化植物、またほとんど草としか思えない小さな木やシダ

メイン写真

その植物の生育している環境がわかるもの、またその全体像がつかめるものを選んでいます。キャプションにはその花の特徴などを記しています。

小写真

メイン写真では見えにくい葉や蕚などのアップや、実、関連種などを紹介しています。

データ

科名、花期、草丈、生育地、分布（もしくは原産）を項目ごとに書き出してあります。

名前

植物名は日本での標準的な名称で下には漢字名または別名と学名を記載。学名は世界共通名で、ラテン語で属名＋種小名が表記されています。

サブ写真

植物の全体像がつかめるメイン写真に対して、主に花のアップで様子がよくわかる写真を選んでいます。

解説文

その植物の特徴や見分けかたのポイント、名前の由来など、植物を知るための情報を紹介しています。

日向によく咲いているが、花はふれるとはらりと落ちる

オオイヌノフグリ

大犬の陰嚢

Veronica persica

花は小さいのですが、春早く、日当たりのよい土手などで群生している姿は、なかなか存在感があります。

青

白

花には青いすじがある

野原に青い小さな花がたくさん咲く様子は、今ではなじみの春の風景。明治時代に入った帰化植物だが、春の花として身近な存在となった。同じ帰化種のタチイヌノフグリは茎の上部が直立し、花はとても小さく目立たない。両方とも日が陰ると花は閉じる。

16

も加えて、紹介しています。掲載順は早春から冬まで四季折々、おおむね花の咲く順に並べました。

また、タンポポやスミレなど種類の多いものは、見開きページの右側にまとめてあります。

つめ検索の意味と使い方

花の名前を調べる手助けとして、季節のつめ、花が何月に見られるかのつめ、花の色のつめを用意しました。

葉は２枚が向き合う

冬も日向で見られる

シソ科
花　期：3〜5月
草　丈：20cm前後
生育地：道端、草地、畑地
分　布：本州〜沖縄

葉が段々につくことからサンガイグサの名もある

有毒説もありますがほぼ無毒で、大量に食べなければ七草粥でコオニタビラコと間違えて食べても大丈夫です。

ホトケノザ
仏の座
Lamium amplexicaule

里の春をピンク色に彩る花で、市街地の道端でも見かける。柄のない葉が、対生してまるく見える様子を、仏が座る台座に見立ててこの名がある。花は葉の間から出て咲くが咲かずに実をつくる花もある。春の七草のホトケノザはキク科のコオニタビラコ(p.125)のこと。

花は下の方が細長い

花期 1 2 3 4 5 6 7 8 9 10 11 12
早春
桃
17

花期つめ検索

１月から12月までのつめで、花の咲く時期に季節のつめと同じ色をつけました。メインの時期以外でも花が見られる月には薄い色をつけました。

季節つめ検索

春、夏、秋、冬などを色で分け、花の咲く季節から調べられるようにしました。

花色つめ検索

おおまかに、青、紫、赤、桃(ピンク)、白、黄、緑の色で分け、複色の花はそれぞれのつめに色を載せました。今回の新版で、桃のつめを追加しました。

ひとことコメント

撮影の時に感じたその植物の印象や様子などをつぶやくようなつもりで紹介しました。ないページもあります。

掲載順

おおむね花の咲く順に並べてありますが、比較すると都合のよいものや同じ科のものは、向かい合うページに並べています。

雌株。東北地方以北には人の背丈ほどにもなるアキタブキがある

葉も食べられる

実は白い毛が目立つ

キク科
花　期：3〜4月
草　丈：40㎝前後
生育地：土手、林のふち
分　布：本州〜沖縄

フキ

蕗

Petasites japonicus

花びらもなくて地味な花ですが、春が来たことを告げるように、早春に真っ先に咲くうれしい花です。

雄株の花

春のほろ苦い味としておなじみのフキノトウは、フキの蕾。花は葉が出るより早く地面近くに咲く。雄株と雌株があり、雄株の花は黄色みが強く、花が終わると枯れる。雌株の花は白っぽく、茎が伸び上がり実をつける。葉はまるく、柄が長く、この柄をフキとして食べる。

花が黄色の品種

八重咲き品種

キク科
花　期：3〜5月
草　丈：30㎝前後
生育地：花壇、庭
原　産：南ヨーロッパ

小さめの花が次々に咲く

キンセンカ

金盞花

Calendula

まだ寒い時期から花壇を彩り、野草の雰囲気も感じさせ、親しみが持てる花です。

キンセンカは中国名「金盞花」の和音読み。カレンデュラとも呼ばれ、ハーブの一種で仏花にも用いられる。花が大きくボリュームのあるものが多いが、最近では、花が小さい一重咲き種も人気で、耐寒性が強く、冬の花壇に植えられる品種「フユシラズ」などがある。

一重咲きでオレンジ色の品種

花期

1
2
3
4
5
6
7
8
9
10
11
12

川岸などに群生もする。以前はラナンキュラスの仲間

萼片（がくへん）は3枚

葉は厚みがあり光沢がある

キンポウゲ科
花　期：3〜4月
草　丈：5〜15cm
生育地：花壇、鉢植え、河川敷、草地
原　産：ヨーロッパ

早春

ヒメリュウキンカ

姫立金花

Ficaria verna

欧州原産の帰化植物で数が増え川沿いや林のふちでよく見かけますが、なにか違和感を覚えます。

花弁は8〜10枚ほどで光沢がある

園芸植物で花色などに種類があるが、野生化し河原などで見るものは鮮やかな黄色の花が多い。葉はまるいハート形で濃い緑色。大形になるものはキクザキリュウキンカと呼ばれ、こちらもよく見られる。繁殖力が強く、最近は駆除する所も出てきている。

黄

クリスマスローズの苞葉（ほうよう）

レンテンローズの苞葉

クリスマスローズは草丈が低く、花は白色

キンポウゲ科
花　期：12〜3月
草　丈：10〜60㎝
生育地：花壇、庭
原　産：ヨーロッパ、西アジア

野草のような雰囲気があるのに、花は大きく華やかさを合わせ持ち、見かけるとうれしくなります。

クリスマスローズ

Helleborus niger

花の少ない冬や早春に花壇や庭で見かける。花は白く冬に咲くが、春咲きのものはレンテンローズと呼ばれ植えられているのもこちらが多い。花色もピンク、紫、緑などたくさんあり、多弁や木立性のものもある。どちらも花弁に見えるものは萼片（がくへん）で花後も長く残る。

レンテンローズの花

花期

1
2
3
4
5
6
7
8
9
10
11
12

早春

プリムラ・マラコイデス。冬でも日当たりのよい庭先などで咲く

プリムラ・オブコニカ

プリムラ・ポリアンサ

サクラソウ科
花　期：1～4月
草　丈：30㎝前後
生育地：花壇、庭、鉢植え
原　産：北半球の温帯地域

プリムラ

Primula

紫
赤
桃
白
黄

プリムラ・ジュリアン。バラ咲き

早春の花壇や鉢植えでよく見られる。日本に自生するサクラソウの仲間で、小輪の花を段々につけるマラコイデス、日本で作り出されたジュリアン、花色が豊富なポリアンサ、オブコニカなどがある。オブコニカ種は人によってかぶれることがあるので、注意が必要。

白花品種

葉はうちわ形

ユキノシタ科
花　期：3～4月
草　丈：40㎝前後
生育地：花壇、庭
原　産：ヒマラヤ

花は葉のつけねから花茎を伸ばして咲く。別名オオイワウチワ

子供の頃、庭にあったことを思い出します。花の少ない早春に咲くピンクの花。印象に残る花の1つです。

ヒマラヤユキノシタ

オオイワウチワ

Bergenia stracheyi

ヒマラヤ原産の園芸植物。葉は大きく常緑で、四方に広がり、冬には赤っぽくなる。丈夫で寒さにも強く、日向でも半日陰でも育つので、高速道路下などにも植えられる。花は花茎の先に多数つき、ピンク色が多いが、色の濃いもの、白などもある。

ピンク色の品種

花期

1
2
3
4
5
6
7
8
9
10
11
12

日向によく咲いているが、花はふれるとはらりと落ちる

実はやや平たい

タチイヌノフグリ

オオバコ科
花　期：3〜4月
草　丈：20cm前後
生育地：道端、草地、畑地
原　産：ヨーロッパ

早春

オオイヌノフグリ

大犬の陰嚢

Veronica persica

花は小さいのですが、春早く、日当たりのよい土手などで群生している姿は、なかなか存在感があります。

青

花には青いすじがある

白

野原に青い小さな花がたくさん咲く様子は、今ではなじみの春の風景。明治時代に入った帰化植物だが、春の花として身近な存在となった。同じ帰化種のタチイヌノフグリは茎の上部が直立し、花はとても小さく目立たない。両方とも日が陰ると花は閉じる。

葉は２枚が向き合う

冬も日向で見られる

シソ科
花　期：3～5月
草　丈：20㎝前後
生育地：道端、草地、畑地
分　布：本州～沖縄

葉が段々につくことからサンガイグサの名もある

ホトケノザ

仏の座

Lamium amplexicaule

有毒説もありますがほぼ無毒で、大量に食べなければ七草粥でコオニタビラコと間違えて食べても大丈夫です。

里の春をピンク色に彩る花で、市街地の道端でも見かける。柄のない葉が、対生してまるく見える様子を、仏が座る台座に見立ててこの名がある。花は葉の間から出て咲くが咲かずに実をつくる花もある。春の七草のホトケノザはキク科のコオニタビラコ(p.125)のこと。

花は下の方が細長い

葉はツタの葉を思わせる

実はまるみがある

茎は地を這って広がり、葉のわきから柄を出し花をつける

オオバコ科
花　期：3〜5月
草　丈：ほふく性
生育地：道端、畑地、公園の草地
原　産：ヨーロッパ、アフリカ

フラサバソウ

ツタノハイヌノフグリ
Veronica hederifolia

見る機会が少なく、小さな花も可愛らしくて出会えると嬉しくなり時間を忘れて撮影に没頭してしまいます。

花は萼の毛が目立つ

オオイヌノフグリに似ているが、やや日陰にも生え、地味な感じだが小さな花はよく見ると可愛らしい。全体に毛が多くとくに萼片（がくへん）の毛は目立つ。オオイヌノフグリよりも早くに気づかれた帰化種だが、その後長い間見つからず1900年代に再発見され、今では全国に分布。

実はやや平たい

虫こぶの主はゾウムシ類

葉は細く、茎の下部では対生し、上部では互生につく

オオバコ科
花　期：4〜5月
草　丈：10〜20㎝
生育地：道端、水田、川辺
分　布：本州〜沖縄

ムシクサ

虫草

Veronica peregrina

春の田んぼの畦では、白い花を目にすると腰を屈めて調べますがムシクサとは出会う機会はあまりありません。

湿った所に生える小さな草花。虫に卵を産みつけられた花の子房は、実の時期、本来の実よりも大きく丸いこぶ（虫こぶ）のようになり、これが名の由来。茎は根元から枝を分けて直立し葉のわきに白い小さな花をつける。萼（がく）は大きく、花が目立たないときもある。

花は4つに深く切れ込む

花期
1
2
3
4
5
6
7
8
9
10
11
12

名は細く先が尖った葉を鳥の爪に見立てたことから

鳥の脚の爪を思わせる

実は熟すと5つに割れる

ナデシコ科
花　期：4〜7月
草　丈：5〜20㎝
生育地：道端、草地、庭
分　布：北海道〜沖縄

早春

ツメクサ

爪草
Sagina japonica

街でも野でも歩いているとよく目にする植物ですが、ルーペを手に見てみると花や葉の構造に感心させられます。

花。萼(がく)には腺毛(せんもう)(粘液を出す毛)がある

身近でふつうに見られる小さな草花。アスファルトのすき間などからも出て株を広げる。葉は細くて先がとがり対生につく。花は小さく、花弁は5枚。葉のつけねから出た柄の先につく。最近は街中でも、葉が厚く乾燥に強い海岸生のハマツメクサもよく見られる。

白

実は上を向く

秋に出始めた葉

キンポウゲ科
花　期：3～5月
草　丈：10～30㎝
生育地：林のふち、土手、畑地
分　布：本州(関東地方以西)～九州

全体が細く小さく、たよりなげに咲く姿は可憐

花は小さくて、林の下など目立たない所で咲いています。オダマキを小さくしたような洒落た形です。

ヒメウズ

姫烏頭

Semiaquilegia adoxoides

林のふちなどに生える小さな草花で、前年の秋には地面から葉を出している。春になると茎を伸ばし、花はうつむきかげんに咲く。全体に柔らかく葉も薄い。烏頭(うず)は山地に咲くトリカブト類のことで、実の形がよく似ている。姿が小さいので「姫烏頭」となった。

淡いピンク色を帯びる花

葉は細く切れ込む

実にはたくさんの刺がある

セリ科
花　期：4〜6月
草　丈：40〜80㎝
生育地：花壇、庭、道端
原　産：ヨーロッパ

ホワイトレースとも呼ばれるが同名の他種があるので要注意

オルラヤ

ハナカザリゼリ
Orlaya grandiflora

花壇での出会いはあまりなく、こぼれ種で増えたものだろうと思われる株は道路沿いの植え込みなどで見かけます。

花。外側の花弁が大きく華やか

さわやかな白い花が印象的で花壇などに植えられる。葉は細く切れ込む。花は小さく、茎の先に散形状に多数つき、外側の花弁が大きくヘラ状に切れ込む。実は２個が合わさり楕円形で、刺におおわれる。園芸種だが丈夫で、最近は野生化したものも見かける。

葉の柄は長い

セリ科
花　期：3〜4月
草　丈：20㎝前後
生育地：野山の林のふち、林下
分　布：北海道〜九州

葉の間から花茎を伸ばし、小さい花を咲かせる

セントウソウ

仙洞草

Chamaele decumbens

まだ冬の気配の残る早春の林の下で、地味な小さな花をつけるセントウソウは、控えめな春の使者という感じです。

林の下などやや湿り気の多い所に生え、春先に白い小さな花を多数咲かせる。葉は細かく切れ込み、茎は紫色を帯びることが多い。名の由来は諸説あってはっきりしないが、キンポウゲ科のセリバオウレンに葉が似ることから、別名はオウレンダマシ。

花。雄しべはもっと長くなる

花期
1
2
3
4
5
6
7
8
9
10
11
12

アマラ種。イベリスは英名でキャンディタフトとも呼ばれる

スイート・アリッサム

アブラナ科
花　期：4〜6月
草　丈：20cm前後
生育地：花壇、庭
原　産：南ヨーロッパ、西アジア

早春

イベリス

キャンディタフト

Iberis

花びらは小さいけれど集まって咲くので、花壇にたくさん植えられていると見ごたえがあります。

紫
赤
桃
白

トキワナズナ

春に花壇でよく見かける。イベリスの仲間は種類が多く、白い花が盛り上がるように咲き、香りがあるアマラ種、常緑で耐寒性のあるトキワナズナと呼ばれるものや、ピンク系の花をつけるものもある。似ているものには草丈の低いスイート・アリッサムがある。

シンプルな一重咲き品種

冬の芽立ち

一重咲きと八重咲きが混植された花壇

アブラナ科
花　期：12～4月
草　丈：50cm前後
生育地：花壇、庭
原　産：南ヨーロッパ

ストック

アラセイトウ
Matthiola incana

春早くからプランターなどで見かけるストックは、彩りも鮮やかでその時期の花壇の主役です。

花壇や鉢植えでよく見られる。花は香りがあり、穂になってたくさん咲き、切り花にもされる。品種は枝分かれする系統と1本立ちする系統がある。咲き方にも一重咲きから八重咲きまであり、色も紫、ピンク、白、黄色など。寒さにはわりに強いが、霜にあたると傷む。

切り花に人気の八重咲き品種

花期
1
2
3
4
5
6
7
8
9
10
11
12

春の七草のハコベラとしても知られ、ミドリハコベともいう

ウシハコベ

ウシハコベは葉も大きい

ナデシコ科
花　期：3〜8月
草　丈：20㎝前後
生育地：道端、草地、畑地
分　布：北海道〜沖縄

早春

ハコベ

繁縷

Stellaria neglecta

接写するためファインダーを覗いていると、小さな花の美しさにしばしシャッターを押すのを忘れてしまいます。

雌しべの先は３本に分かれる

よく見かける身近な草で、春の七草の１つにも数えられる。茎や葉は明るい緑色。葉は対生につき、小さな花の花弁は５枚だが、深く切れ込んでいて10枚に見える。ウシハコベは全体に大きく、雌しべの先の部分は５本に分かれ、ハコベは３本に分かれる。

白

オランダミミナグサ

和蘭耳菜草

Cerastium glomeratum

ナデシコ科
花　期：4〜5月
草　丈：20㎝前後
生育地：道端、草地、畑地
原　産：ヨーロッパ

明治時代に入った帰化植物だが全国に広がっている。全体に毛が多く色は明るい緑色。在来種のミミナグサは茎が紫色を帯びることが多い。

日当たりがよい所に咲く。○内はミミナグサ

ミミナグサにくらべ茎は粘った感じがするので触ってみるとすぐわかります。

イヌコハコベ

犬小繁縷

Stellaria pallida

ナデシコ科
花　期：3〜5月
草　丈：10〜40㎝
生育地：道端、庭、畑地
原　産：ヨーロッパ

花に花弁がないのが一番の特徴で、萼片（がくへん）基部や茎が紫色を帯びることが多い。昭和時代に気づかれた帰化植物だがかなり分布を広げている。

茎は根元から枝を分け横に広がり斜上する

誰も気に留めないだろうと思われる地味な存在。出会うのに苦労しました。

コンクリートのすき間などにも花を咲かせる

ノミノツヅリ

蚤の綴り

Arenaria serpyllifolia var.serpyllifolia

ナデシコ科
花　期：3〜6月
草　丈：10〜30㎝
生育地：道端、草地
分　布：北海道〜沖縄

道端などで見られ、花や葉は小さく全体に短い毛がある。花弁は5枚で萼(がく)より短く、葉は対生につく。ツヅリとはつぎはぎした粗末な衣のこと。

道端でかがんで撮影していて通行人に行き倒れだと思われたことがあります。

早春

葉は柄がなく、対生につく

ノミノフスマ

蚤の衾

Stellaria alsine var.undulata

ナデシコ科
花　期：4〜10月
草　丈：10〜30㎝
生育地：水田、畑地、道端
分　布：北海道〜沖縄

ハコベの仲間だが全体が無毛で柔らかい感じがする。花弁は2つに切れ込むので5枚が10枚に見える。葉は長楕円形。春の田でよく見られる。

白

草地や田の畦で見かける小さな花。造形が好ましく好きな花の一つです。

葉の先はボート型

若い株

イネ科
花　期：3〜11月
草　丈：15cm前後
生育地：道端、草地、畑地
分　布：北海道〜沖縄

よく群生して緑の草むらをつくる

真冬の草はらで丈は小さいのに元気に雄しべが出ていて小さながんばりやさんという感じです。

スズメノカタビラ

雀の帷子

Poa annua

道端や公園など、身近な所で最もふつうに見られ、世界中の温暖な地域にも広く分布。地面に緑の草むらをつくることも多い。茎は株状に生え、花の穂は淡緑色だが、紫色っぽいこともある。全体が柔らかく、踏みつけにも強いので、人がよく歩くような所にも生える。

雄しべが出ている花

白地に紫色のすじが入る品種「ピィックウィック」

品種「ジャンヌダルク」

秋咲きのプルケルス種

アヤメ科
花　期：3〜4月
草　丈：10㎝前後
生育地：花壇、庭
原　産：地中海沿岸〜小アジア

クロッカス

ハナサフラン

Crocus

どの色の花も穏やかな色合いで、中心に見える雄しべがポイント。春を告げる花壇の花の代表格。

明るい陽を求めるように咲く姿は小さく、可憐で、春の訪れを感じさせる。花壇や鉢植えでよく見られ、秋に咲く種類もある。葉は濃い緑色で細長く、白いすじがある。花色は紫や白、黄色など。日当たりのよい所を好み、日中開花して、曇りの日や夕方は閉じる。

黄色の品種「ギール」

花期
1
2
3
4
5
6
7
8
9
10
11
12

花後の実

豆弁蘭（中国蘭）

ラン科
花　期：3～4月
草　丈：20㎝前後
生育地：庭、丘陵、落葉樹林下
分　布：北海道～九州

花は葉の根元に咲く。葉は常緑

春

シュンラン

春蘭

Cymbidium goeringii

蘭茶となって湯のみの中に浮く花を見ると、どこにこれほどの大量の花が咲いているのか見に行きたくなります。

木々が芽吹く前、日が射しこむ落葉林の下などに生える。小さいながら品のある姿で、よく栽培され、品種もある。別名はホクロ。下側の花弁にある斑点をほくろに見立てたもの。花は塩漬けなどに利用されたが、今や野に自生するものは貴重なものとなった。

花。赤紫色の斑点がある

白
黄
緑

花期

1
2
3
4
5
6
7
8
9
10
11
12

春

黄

多数の舌状花が集まって1つの花をつくっている

実には冠毛（かんもう）がある

葉の形は変化も多い

キク科
花　期：3〜9月
草　丈：20cm
生育地：道端、草地、畑地
原　産：ヨーロッパ

セイヨウタンポポ

西洋蒲公英

Taraxacum officinale

総苞の外片（総苞片）は反りかえる

タンポポ類では最もよく見られる帰化種。黄色い花弁はそれぞれが1つの花で舌状花（ぜつじょうか）といわれ、これらが多数集まっている。花の下の筒状の部分（総苞（そうほう））の外片が反りかえるのが特徴。近年は在来種との雑種がふえ純粋なセイヨウタンポポは少ないといわれる。

カントウタンポポ
セイヨウタンポポに押され少なくなった在来種。総苞片は反りかえらない。

エゾタンポポ
花は比較的大きく総苞片は反りかえらない。名は北海道に多いことから。

春

シロバナタンポポ
花は白色。西日本に多いが、東京周辺でもたまに見られる。

カンサイタンポポ
関西地方に多く、全体にほっそりした感じで、花も小さい。

花期

1
2
3
4
5
6
7
8
9
10
11
12

春

よくある雑草の1つ。葉は柔らかく、若葉は食べられる

葉の基部は茎をはさむ

オニノゲシの葉の基部

キク科
花　期：4～7月
草　丈：80㎝前後
生育地：道端、草地、畑地
分　布：北海道～沖縄

ノゲシ

野罌粟

Sonchus oleraceus

花は一年中目にしますが、本来、花の盛りは春で、この時季の花がやはりいきいきと見えてきれいです。

黄

花はタンポポのような黄色

ハルノノゲシともいう。春の花だが、日当たりのよい道端では一年中咲いている。茎や葉が紫色っぽいものもある。このノゲシによく似ているオニノゲシは、明治の頃に入った帰化植物で、葉のふちに刺があり、さわると痛いほど。ノゲシはさわっても痛くない。

実は白い毛が多い

葉は濃い緑色

キク科
花　期：3〜12月
草　丈：20㎝前後
生育地：道端、草地、畑地
原　産：ヨーロッパ

花は上向きや横向きなど、多数つく

人が目を向けないような地味な雑草ですが、花を横から見ると黒い三角の模様が洒落ています。

ノボロギク

野襤褸菊

Senecio vulgaris

身近な所でふつうに見られ、よく群がって生えている。草丈は低めで、花は筒状花（とうじょうか）（筒形の花）が多数集まり、黄色。花の盛りは春から夏だが、暖かい所では一年中咲いている。名は、実の綿毛の様子がボロのようで、野にあるキクの仲間ということから。

花は筒状花が集まり、筒形

ホオコグサの別名もある

ハハコグサ

母子草

Pseudognaphalium affine

キク科
花　期：4〜6月
草　丈：30㎝前後
生育地：道端、草地、畑地
分　布：北海道〜沖縄

春の七草の１つでオギョウ、ゴギョウとも呼ばれる。全体が綿毛におおわれ白っぽく、花は小さく多数が集まる。昔は若葉を草餅に使った。

花は明るい黄色で茎も葉も綿毛が柔らかそうで、思わず触りたくなります。

春

花は褐色で小さく、茎の先に数個が集まる

チチコグサ

父子草

Gnaphalium japonicum

キク科
花　期：5〜9月
草　丈：15㎝前後
生育地：道端、草地
分　布：北海道〜沖縄

ハハコグサに対する名だが全体に小さく茎も細い。花茎は枝を出さずに伸び、葉は根元に多くつく。葉の綿毛は裏面により多く白っぽく見える。

母子草がお母さんだとしたら小柄なお父さんで蚤(のみ)の夫婦ですね。

葉は切れ込み先がとがる

ムルチコーレ種

一緒に植えられる白いパルドスム種と黄色のムルチコーレ種

キク科
花　期：3〜5月
草　丈：20㎝前後
生育地：花壇、庭
原　産：北アフリカ

クリサンセマム

Leucoglossum paludosum
Coleostephus multicaulis

春の花壇で、白と黄色のキクの仲間が一緒に植えられているのをよく見かける。白いものは一般にノースポールと呼ばれるパルドスム種で耐寒性がある。黄色いものはムルチコーレ種でどちらもクリサンセマムと呼ばれるが、現在はこの２種は違う仲間とされる。

花びらの白さが際立つ花

花期

1
2
3
4
5
6
7
8
9
10
11
12

耐寒性はあるが暑さに弱い

ベリス・アンヌア

斑入りのブルーデージー

キク科
花　期：3〜5月
草　丈：10㎝前後
生育地：花壇、庭
原　産：ヨーロッパ

春

デージー

ヒナギク

Bellis perennis

別名のヒナギクという名がぴったりのこの小ぶりの花は、かわいらしさを感じさせる園芸植物です。

青

赤

桃

白

花がこんもりとまるい品種

まるい花の咲く小さな草姿が愛らしく、春の花壇を彩る。寒さに強く花期も長く、次々に花を咲かせる。ヒナギクの名でも親しまれ、品種も多く、大輪のものや色もさまざまある。ブルーデージーはこの仲間ではないが、花の青と黄色のコントラストが美しい。

葉はシュンギクに似ている

八重咲き品種

キク科
花　期：4〜5月
草　丈：80cm前後
生育地：花壇、庭
原　産：カナリア諸島

フランスで育成され今も人気の高い一重の白花

マーガレット

モクシュンギク

Argyranthemum frutescens

この花を見ていると華やかさがある清楚な少女という感じで、少女漫画の主人公を連想させられます。

白い清楚な花姿は人気が高く、花壇や切り花でよく見られる。葉がシュンギクに似て、茎が木質化してくることから、モクシュンギクともいわれる。寒さには弱いが耐寒性のある品種もあり、色もピンクや黄色、橙色など。一重咲きのほか、八重咲きなどもある。

ピンク色の品種

花期
1
2
3
4
5
6
7
8
9
10
11
12

春

葉はジシバリに比べてやや立った感じがする

ジシバリは花も葉も小形

キク科
花　期：4〜5月
草　丈：20cm前後
生育地：道端、草地、田の畦
分　布：北海道(西南部)〜沖縄

オオジシバリ
大地縛
Ixeris japonica

茎も葉も柔らかくきゃしゃな印象。しかしほかの草に埋もれないように丈が伸びたものはしっかりした感じがします。

花びらの先は切れ込む

田の畦などやや湿った所に生える。一重のタンポポといった感じだが、タンポポより茎が細くて葉の形も違う。葉はほとんど切れ込みのないヘラ形で、薄く柔らかい。ジシバリはオオジシバリより全体に小さく、葉はまるみがあり、イワニガナとも呼ばれる。

黄

茎の中は空洞

葉は茎を抱くようにつく

キク科
花　期：5〜7月
草　丈：70㎝前後
生育地：道端、草地、空き地
原　産：北アメリカ

全体に毛が多く、蕾がうなだれるのが特徴

ありふれた雑草の1つですが、花びらがピンク色のものは摘んで花瓶に飾りたくなるほど綺麗です。

ハルジオン

春紫苑

Erigeron philadelphicus

市街地から野山まで、いたる所で見られる。大正時代に園芸種として渡来したが今では雑草の１つ。全体に柔らかい毛があり、花は蕾のときうなだれている。ヒメジョオン（p.179）とよく似ているが、蕾がうなだれていること、茎の中が空洞なことがヒメジョオンとの違い。

花色は白から淡桃色

濃い緑の葉と茎の白さが目につく

ウラジロチチコグサ

裏白父子草
Gamochaeta coarctata

キク科
花　期：5～7月
草　丈：20㎝前後
生育地：道端、草地、空き地
原　産：南アメリカ

帰化植物だが雑草として各地で見られる。葉は光沢があり、裏面は綿毛が密生する。○内は同じ帰化種のチチコグサモドキ。葉は光沢がない。

春

別名はホソバノチチコグサモドキ

タチチチコグサ

立父子草
Gamochaeta calviceps

キク科
花　期：5～9月
草　丈：20㎝前後
生育地：草地、空き地
原　産：北アメリカ

荒れ地などに生える帰化植物。茎は地際で枝分かれするが、草地などではあまり枝を分けない。葉は細いものやヘラ形。花は葉のわきにつく。

チチコグサモドキと混じって生えていても葉が細いのですぐわかります。

花後、残った萼が目立つ

葉は濃緑色でつやがある

キク科
花　期：4～6月
草　丈：30㎝前後
生育地：花壇、庭、鉢植え
原　産：日本

印象的な名も花の雰囲気によく似合う

ミヤコワスレ

都忘れ

Aster savatieri

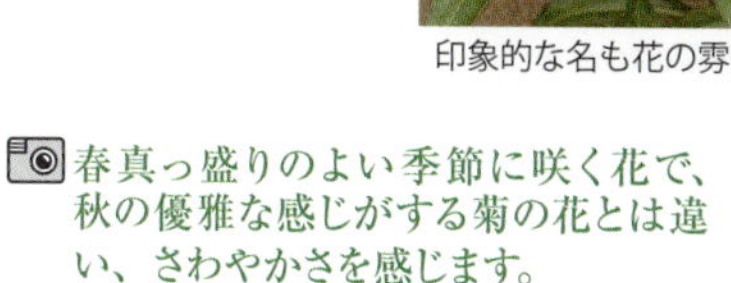
春真っ盛りのよい季節に咲く花で、秋の優雅な感じがする菊の花とは違い、さわやかさを感じます。

野菊の風情だが、山野に自生するミヤマヨメナの、色の鮮やかなものを選抜した園芸種。古くから栽培され、江戸時代にはすでにその記録があるといわれる。葉の緑は濃く、花色も濃紫色のほか、ピンク、白などもあり、鉢植えや切り花にされ、茶花にも使われる。

花は紫色が代表的な色合い

茎はよく枝分かれして、キクのような花を多数咲かせる

葉は細かく切れ込む

キク科
花　期：5～7月
草　丈：60㎝前後
生育地：花壇、庭、草地
原　産：ヨーロッパ～西アジア

ジャーマンカモミール

カミツレ

Matricaria chamomilla

花が満開の時にはカモミールティーの香りが漂ってくるようで近くに居るだけで気持ちが落ち着きます。

花の黄色い部分は盛り上がる

カミツレとも呼ばれ、ハーブとしてもよく知られる。花に甘い香りがあり、乾燥したものはハーブティーの定番で、薬用茶として利用される。花は中心の黄色い部分が盛り上がるのが特徴。葉は細く切れ込む。花壇などで栽培されるが、野生化したものも見られる。

白花品種

春先の茎が立つ前の葉

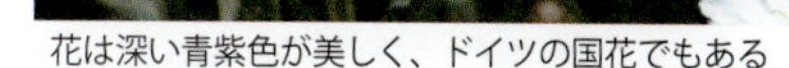
花は深い青紫色が美しく、ドイツの国花でもある

キク科
花　期：4〜6月
草　丈：70㎝前後
生育地：花壇、庭、畑地
原　産：南ヨーロッパ

ヤグルマギク

矢車菊
Cyanus segetum

青い色の花は遠くに咲いていても、すぐにそれと分かる紫色を帯びた独特な色合いです。

かつては、穀物にまぎれたタネからか、畑などに咲いているのがよく見られた。花の濃い青紫色が印象深く、園芸化され花色も基本の青のほか、白や赤、ピンクなどがあり草丈の低い矮性(わいせい)品種や寒咲きのものもある。茎はかたく、葉とともに白い毛でおおわれる。

品種「江戸小町」

トキワハゼに似ているが、全体が大きめで花の色も濃い

シロバナサギゴケ

ランナーにつく葉は小さい

サギゴケ科
花　期：4～5月
草　丈：10㎝前後
生育地：道端、草地、田の畦
分　布：本州～九州

ムラサキサギゴケ

紫鷺苔

Mazus miquelii

花は草の丈が低いわりには大きめで、群生している様子は草はらが花の色で染まるほど。

花弁には橙色の模様がある

やや湿り気のある草地などで見られる。横に這う枝（ランナー）を出して地面に広がり、茎はあまり上に伸びず花は地面近くに咲く。花が紫色のものをムラサキサギゴケ、白いものはシロバナサギゴケと呼ばれることも稀にあるが、最近はどちらも単にサギゴケともいう。

実。花弁のような萼が残る

根元の葉は大きい

サギゴケ科
花　期：4〜11月
草　丈：15㎝前後
生育地：道端、草地、畑地
分　布：北海道〜九州

花の茎はムラサキサギゴケよりも立ち上がる

トキワハゼ

常磐はぜ
Mazus pumilus

ムラサキサギゴケに比べるとずっと小さな花で、ポツポツと咲くのであまり目立ちません。

ムラサキサギゴケに似ているが、全体に小さく横に這う枝を出さない。茎は根元の葉の間から立ち上がり、その先に花を咲かせる。花期が長く、暖かい所ではほぼ通年花が見られることから常磐の名がついた。庭の隅などにも生え、身近な所でよく見られる。

花は淡い紫色

花期
1
2
3
4
5
6
7
8
9
10
11
12

春

水中から茎を伸ばして涼しげな花を咲かせる

カワヂシャの花は白色

葉の鋸歯は目立たない

オオバコ科
花　期：4～9月
草　丈：70㎝前後
生育地：川などの水辺
原　産：ヨーロッパ～アジア

オオカワヂシャ

大川萵苣

Veronica anagallis-aquatica

根元が水に浸かるような所で、茂るように育ち、淡紫色の花が目を引きます。

花は紫色のすじが入る

川のふちなど、水辺や湿地で見られる帰化植物だが、日本に入ってきた時期ははっきりしない。在来種のカワヂシャに似ているが、全体に大形で、葉のふちの切れ込み（鋸歯）は少ない。花は淡い紫色で白に近いものもある。今ではカワヂシャよりもよく見られる。

葉はしわが多い

枯れる頃、全体が色づく

シソ科
花　期：4〜5月
草　丈：20㎝前後
生育地：道端、草地、畑地
原　産：ヨーロッパ

帰化植物だが、春の花としてなじみあるものになっている

ヒメオドリコソウ

姫踊り子草

Lamium purpureum

茎の上部の葉が赤紫色を帯びた独特な色合い。草はらで集まって咲く様子はちょっとくすんだ感じに見えます。

道端、土手などで見られる春の小さな草花の１つ。ホトケノザ(p.17)などと一緒に咲いていることも多い。茎の上方の葉は赤紫色で、重なりあい、間から花が出る。その姿は小人が立っているようにも見える。名はオドリコソウ（p.53)に似て小さいのでヒメがついた。

花は葉の間から出る

花は葉の中心部や合間に見られる

キランソウ

金瘡小草

Ajuga decumbens

シソ科
花　期：3〜5月
草　丈：6cm前後
生育地：道端、草地、畑地
分　布：本州〜九州

濃い紫色の花が地面近くで目につく春の草。全体に毛が多く、葉や茎が地面にふたをしたように広がることからジゴクノカマノフタの名もある。

半日陰で見かけることが多く、花色も葉色も濃く落ち着いた雰囲気です。

春

花は淡いピンク色でとても小さい

トウバナ

塔花

Clinopodium gracile

シソ科
花　期：5〜8月
草　丈：20cm前後
生育地：道端、草地、畑地
分　布：本州〜沖縄

やや湿った所に生え、身近でよく見られるが花が小さいので見すごすことも多い。葉はまるみがあり対生につく。全体に柔らかい感じがする。

小さな花ですが、健気に懸命に咲いているように見え感動すら覚えます。

草地に咲くタツナミソウ

シソ科
花　期：5～6月
草　丈：20㎝前後
生育地：庭、道端、海岸の草地
分　布：本州～九州

名は、花の様子を「泡立って寄せ来る波」に見立てた

自生地では群生するコバノタツナミですが、庭に植えられたものも、たくさん花をつけている株をよく目にします。

コバノタツナミ

小葉の立浪

Scutellaria indica var.parvifolia

林のふちや海岸近くに自生するが、庭にも植えられ、付近の道端などに逃げ出したものも見かける。小さい草花で、葉は毛が多くビロードのような感触。この仲間はいくつかあり、タツナミソウは丘陵の草地などに生え、草丈が30㎝ほどになり、葉の色も明るい。

白花品種

花期
1
2
3
4
5
6
7
8
9
10
11
12

春

花が終わると、茎は倒れて横に伸び、節から根を出す

若い実

斑入りカキドオシ

シソ科
花　期：4〜5月
草　丈：20㎝前後
生育地：道端、草地、畑地
分　布：北海道〜九州

カキドオシ

垣通し

Glechoma hederacea ssp.grandis

花の色合いは明るく穏やかで、葉も明るい緑色。春の野草の中で、僕が好む花の1つです。

紫

白

花弁に斑点がある

道端や庭の隅で見られ、垣根をくぐり抜ける勢いで伸びることから名がついた。花の時期が終わると、茎はつる状になって地面を這う。雑草とされるが、「垣通」は春の季語にもなっている。斑入り(ふい)りの園芸種もあり、こちらはヨーロッパが原産で鉢植えなどにされる。

葉の先はとがる

種子は４個ある

シソ科
花　期：3〜5月
草　丈：40㎝前後
生育地：林のふち、藪
分　布：北海道〜沖縄

林の下などに群生するが、明るい色の葉はよく目立つ

背中合わせにまるく並んで咲く様子は、その名のとおり、女の子たちが踊っているように見えます。

オドリコソウ

踊り子草

Lamium album var.barbatum

半日陰に生えることが多く、よく群生している。柔らかい草で、茎は枝分かれせず、葉にはしわが目立つ。花は葉のつけねに茎を囲むようにつく。葉の陰で見えにくいこともあるが、輪になった花全体の雰囲気はリズム感がある。花色は白のほかピンクもある。

淡いピンク色の花

葉は常緑で花後もよく茂る。セイヨウキランソウともいう

ジュウニヒトエ

シソ科
花　期：4〜5月
草　丈：20㎝前後
生育地：花壇、庭、道端
原　産：ヨーロッパ〜中央アジア

アジュガ

セイヨウキランソウ
Ajuga reptans

花は小さめでも、花の青さが個性的な色合いなので、群生していると存在感があります。

花壇などに植えられるが、茎は這って伸び広がるので、グランドカバー（地面を花や葉の緑で美しくおおう）として利用される。また逃げ出したものが野生化もしている。花は紫色のほかピンク、白など。在来種のジュウニヒトエはこの仲間だが、這う茎は出さない。

斑入り葉の品種

花期
1
2
3
4
5
6
7
8
9
10
11
12

ハナイバナ

ムラサキ科
花　期：3～4月
草　丈：20㎝前後
生育地：道端、草地、畑地
分　布：北海道～沖縄

キュウリの匂いがするというがあまりしないこともある

春

早春まだ寒いのに、ロゼットの真ん中で一輪だけ咲く、気の早いあわて者の花もあります。

キュウリグサ

胡瓜草

Trigonotis peduncularis

青

道端や草地など、身近な所でよく見られる小さな草で、葉をもむとキュウリの匂いがするので名がついた。花の穂の先はくるくる巻いているが、花が咲き上がっていくにつれてまっすぐに伸びる。似ているハナイバナは渦巻き状にならず、花は葉のわきにつく。

花は小さく青みがある

白

花期
1
2
3
4
5
6
7
8
9
10
11
12

独特の色合いの花は印象深い

高原に咲くワスレナグサ

ムラサキ科
花　期：4～5月
草　丈：20cm前後
生育地：花壇、鉢植え、高原
原　産：ヨーロッパ

春

ワスレナグサ

勿忘草
Myosotis

花の色は青空のようで、葉の色ともよくマッチしていて、花壇にあると明るい雰囲気になります。

青
紫
桃
白

ピンク色の品種「ロジルバ」

花壇などで見られるワスレナグサは、花は小さめで独特の青色に中心の黄色が印象深い。野生種を栽培化したものや、外国産の種類の交配によってつくられたものなど多くの種類があり、ピンクや白花品種もある。なかには野生化し高原などで見るものもある。

ネモフィラ・マクラータ

品種「スノー・ストーム」

ムラサキ科
花　期：4～5月
草　丈：20cm前後
生育地：花壇、鉢植え
分　布：北アメリカ西部

陽を受けて一斉に咲くメンジェシー種。花の直径は2cmほど

ネモフィラ

Nemophila

花壇などで見られ、さわやかなブルーの花が目を引く。草丈が低く、よく枝分かれして横に伸び広がり、葉は細く切れこむ。花は日中に咲き、夜や雨の日は閉じる。代表的なものはブルーの花色のもので別名ルリカラクサ。斑入(ふい)りなどいくつかの品種がある。

品種「ペニー・ブラック」

別名モス・フロックス。花壇から垂れ下がって咲く白花の品種

品種「春がすみ」

品種「ダニエルクッション」

ハナシノブ科
花　期：4〜5月
草　丈：10㎝前後
生育地：花壇、鉢植え
原　産：北アメリカ東部

シバザクラ

芝桜

Phlox subulata

ピンク色の品種

草丈が低く、サクラに似た花を咲かせて地際を明るくする。茎は地を這い、節から根を出して広がる。花は下部が筒状で、先が5弁に分かれる。葉は常緑で細く、対生につく。花壇のふちどりなどで見られ、広い敷地に植えられたものはカーペット状に咲き見事。

ヒメツルニチニチソウ

キョウチクトウ科
花　期：3～5月
草　丈：つる性
生育地：花壇、庭
原　産：南ヨーロッパ、北アフリカ

学名からビンカ、またツルギキョウとも呼ばれる

別名のツルギキョウは、キキョウの仲間で同じ名の植物があるので、感心できません。

ツルニチニチソウ

蔓日々草
Vinca major

つる性で、常緑の葉が美しく、グランドカバーとしてビルの周りなどにも植えられる。春に咲く淡紫色の花は美しいが、最近では林の下などに野生化したものも見られる。近縁のヒメツルニチニチソウは、葉はより小さめで、耐寒性が強く、同じように植えられる。

花は巴形。斑入り葉の品種

花期

1
2
3
4
5
6
7
8
9
10
11
12

小さいながらも枯れ葉の中から出て咲く姿は可憐

葉裏はよく紫色を帯びる

リンドウ科
花　期：3〜4月
草　丈：8cm前後
生育地：野山の草地
分　布：北海道〜九州

春

フデリンドウ

筆竜胆
Gentiana zollingeri

青
紫

林のふちなどの草はらで晴れた日に開く花。この花を思うと心地好い春の日を思い出します。

花は青紫色

日当たりのよい草地などに生える。春に咲くリンドウ類はどれも小さいが、フデリンドウもかがんで見るような小ささ。花は茎の上に数個がかたまってつき、日が当たると開き、陰ると閉じる。蕾の形が筆の穂先に似ていることが、名の由来。

実には毛が多い

根元の葉は柄が長い

セリ科
花　期：4～5月
草　丈：30㎝前後
生育地：藪、林の下、道端
分　布：北海道～九州

林の下に咲く花

ヤブニンジン

藪人参

Osmorhiza aristata

暗い林の中よりも、林のふちの道のわきなど、ちょっと日の射すような所が好きなようです。

林のふちなどの、あまり日の当たらないような所に多く、名も藪に生え、葉がニンジンの葉に似ていることから。茎や葉には白い毛が多い。花は小さいが実は細長く、こん棒のような形をしている。地味な植物だが、この長い実が特徴的で気がつくことも多い。

花は花弁が内側に曲がっている

早春、落葉の残る地面に群生する

ニオイタチツボスミレ

タチツボスミレの種子

スミレ科
花　期：3～5月
草　丈：10㎝前後
生育地：道端、草地、野山の林縁
分　布：北海道～沖縄

タチツボスミレ

立坪菫、立壺菫

Viola grypoceras var.grypoceras

シロバナタチツボスミレ

スミレの仲間は多数あるが、そのなかで最もよく見られ、市街地から山地までと分布も広い。花には距（きょ）と呼ばれる花弁が筒状に後ろに突き出た部分がある。花色や大きさには変化も多い。ニオイタチツボスミレは花に香りがあり、色は濃いめで中心の白さが目立つ。

スミレ
日当たりのよい所に生え、葉は立ち上がるように根元から出る。

ヒメスミレ
小さいスミレで、道端や石垣のすき間などで見られる。

マルバスミレ（ケマルバスミレ）
花も葉もまるみがあり、花は白色。全体に毛があるが、ないものもある。

ツボスミレ
別名はニョイスミレ。湿った所に多い。花は小さく白色で、紫色のすじがある。

ビオラ・ソロリア・プリケアナ。根はわさびのように大きくなる

パンジー

ビオラ・プティオラ

スミレ科
花　期：10～5月
草　丈：10㎝前後
生育地：花壇、鉢植え、道端
原　産：ヨーロッパなど世界各地

ビオラ

Viola

タフテッドパンジー

ビオラはスミレ類の総称だが、花の大きいパンジーに対し、小輪のパンジーを単にビオラ（タフテッドパンジー）とも呼ぶ。同じビオラ類ではほかにニオイスミレやソロリア種、ほふく性のものなどもあり、いずれも温度変化に強く丈夫で野生化しているものもある。

ビオラ・ヘデラケア
茎が這う種類で、ツタスミレ、パンダスミレともいう。

ニオイスミレ
スイートバイオレットとも呼ばれる。香りがあり、古くから栽培されている。

春

春のコラム

春を探しにフィールドへ！

Spring

冬の終わり頃、風に暖かさが感じられるようになるとフィールドへ出かけたくなります。出てみると風景はまだ冬のまま。春を探して付近を歩き、春の花に出会えると無性に嬉しくなります。季節ごとにそれぞれ咲く花があり、そうした花を見るとその季節を実感するのだろうと思うのですが、地球温暖化の影響か、最近ではサンガイグサをはじめ春の花でも冬に咲くことがよくあるのでこうした花を見かけても喜べません。世界各地の異常気象が言われるなか、私の春の到来を知る植物はヒメウズです。ヒメウズの一番花を見かけると「今年も春が来たんだ」と、実感できるのです。

花は地味だが暑さ寒さに強く、つやのある葉が地面をおおう

実は白く、まるい

斑(ふ)入(い)りの品種

ツゲ科
花　期：3〜5月
草　丈：20cm前後
生育地：庭園、庭、山地の林の下
分　布：北海道〜九州

フッキソウ

富貴草

Pachysandra terminalis

公園でも隅の方に植えられていることが多く、脇役的な存在ですが、花は個性があって気品を感じます。

白い雄しべの先から花粉を出す

山地に自生するが、日陰に強く、地面を這って広がるので、グランドカバーに利用される。丈は低く、草のようだが常緑の小低木。葉は厚く光沢がある。花に花弁はなく、白くて太い雄しべが目立つ。雌花は花の穂の下のほうにつく。実はまるく、白く熟す。

ヒメヒオウギ

姫檜扇

Freesia laxa

アヤメ科
花　期：5～6月
草　丈：10～30cm
生育地：庭、鉢植え、道端
原　産：南アフリカ

旧属名のアノマテカとも呼ばれるがフリージアの仲間。花弁６枚のうち３枚に斑が入り、花の下部は細長い筒状。小ぶりだがすっきりとした花姿。

花色は赤のほか白、ピンク、淡紫色などがある

名が似た別の植物ヒメヒオウギズイセンと混同してしまうことがあります。

シラユキゲシ

白雪芥子

Eomecon chionantha

ケシ科
花　期：4～5月
草　丈：20～40cm
生育地：庭、花壇、林のふち
原　産：中国

園芸植物で半日陰によく植えられ、花の白さが際立つ。葉は柄が長く、花は葉より上に伸び出て咲く。茎などを傷つけると橙色の汁が出る。

繁殖力が強く道端などでも見られる

中国の野草が原種なのか、品の良い清楚な印象があり好感が持てます。

花期

1
2
3
4
5
6
7
8
9
10
11
12

花は茎の上の、台座のような葉の上に咲く

茎の下部の葉

トウダイグサ科
花　期：4〜6月
草　丈：40cm前後
生育地：道端、草地、畑地
分　布：本州〜沖縄

春

トウダイグサ

燈台草

Euphorbia helioscopia

春の草はらで見かける穏やかな黄緑色の花は好ましく、主役とはいかないまでも春の花の重要メンバーです。

花。まるい玉は若い実

日の当たる道端などで見かける。花は変わった形で、一見どれが花かわからない。花は受け皿のような苞葉（ほうよう）（葉の変化したもの）の中心にあり、黄緑色で壺形。草姿が、昔の部屋の明かりに使われた、燈台（とうだい）に似ていることからこの名がついた。

黄
緑

実には突起がある

ほかの草をおおうように群生する

トウダイグサ科
花　期：4～5月
草　丈：50cm前後
生育地：川岸、草地
分　布：北海道～九州

ノウルシ

野漆

Euphorbia adenochlora

黄色の花は日を受けてまぶしいほど。その様子は春の喜びを体全体で表現しているように見えます。

川岸の草地など、湿った所に生える。花を包む苞葉（ほうよう）が明るい黄色で、群生していると、遠目にも一面が独特の黄色いじゅうたんに見える。花はトウダイグサと同じ壺形。茎や葉を切ると白い液が出るが、これにさわるとかぶれるのでこの名がある。

花全体が黄色い

花期
1
2
3
4
5
6
7
8
9
10
11
12

春

葉軸に小さい葉がつく

実。種子は5～10個

マメ科
花　期：3～6月
草　丈：20～90cm前後
生育地：道端、草地、土手
分　布：本州～沖縄

葉の先が矢筈状にへこむことから、ヤハズエンドウともいう

カラスノエンドウ

烏野豌豆

Vicia sativa ssp. nigra

紫

桃

花は中心の花弁の色が濃い

日当たりのよい草地や土手などでよく見られるつる性の草。葉の軸の先は巻きひげになっていて、ほかの物にからみつくが、茎はたよりなげに直立する。花は蝶形(ちょうけい)で、葉のつけねにつく。実は熟すと黒くなり、これをカラスにたとえて名がある。

スズメノエンドウ
カラスノエンドウに似ていて、小さいことからスズメノエンドウ。

スズメノエンドウの実
実も小さく、毛が多い。種子は1〜2個。

春

カスマグサ
カラスノエンドウとスズメノエンドウの間くらいの大きさから名がついた。

カスマグサの実
実に毛はなく、種子は3〜6個。

ハチミツ用の蜜源植物でもある

ゲンゲ

レンゲソウ

Astragalus sinicus

マメ科
花　期：4〜6月
草　丈：20㎝前後
生育地：田畑、草地、土手
原　産：中国

緑肥として田んぼに植えられ、一面のピンクの花畑は春の風景だったが、今では少なくなった。花は蝶形(ちょうけい)で、柄の先に集まり輪になってつく。

公園の草はら一面に咲く花は壮観で、毎年春になると撮影を楽しみます。

春

花は明るい黄色

ミヤコグサ

都草

Lotus corniculatus ssp.japonicus

マメ科
花　期：4〜6月
草　丈：ほふく性
生育地：海岸、河原、草地
分　布：北海道〜沖縄

海岸近くの草地などで見られる。茎は地面を這い、おおうように群れ広がることもある。花は蝶形(ちょうけい)で花弁は5枚。小さいが黄色がよく目立つ。

日なたで咲く小さな花を見ると、可愛くてキャラクター化できそうです。

赤い実も目立つ

バラ科
花　期：4〜5月
草　丈：50㎝前後
生育地：野山の林のふち、道端
分　布：本州〜九州

草むらに咲く白い花は目を引く

クサイチゴ

草苺

Rubus hirsutus

散歩道で一年を通して見ていると、葉の様子も時期によって違い、観察するのが面白い植物の1つです。

野山に生えるが、公園の林のふちなどでも見られる。茎にはまばらに刺があり、花の時期は草丈は低めだが、そのわりに花は大きくて目立つ。実は赤く熟し、甘味があって食べられる。キイチゴの仲間で小低木だが、丈も低く、草のようなのでクサイチゴの名がついた。

花は雄しべが長く美しい

花期
1
2
3
4
5
6
7
8
9
10
11
12

日向の草むらに咲いていた

葉。這う枝につく葉は小さい

太くてかたい根

バラ科
花　期：4～5月
草　丈：20㎝前後
生育地：野山の草地、丘陵
分　布：本州～九州

春

ミツバツチグリ

三葉土栗
Potentilla freyniana

三つ葉で根には太くなった部分があり、それが栗のようにも見えるのでこの名があります。

花は花弁が5枚

春には黄色い草花が多いが、ミツバツチグリもその１つ。土手など日当たりのよい所に生える。花は茎の先に数個つき、葉は柄が長く、３枚に分かれる。地中にかたくて太い根があり、根元から横に這う枝を出してふえる。花が終わると葉は大きくなる。

黄

花期
1
2
3
4
5
6
7
8
9
10
11
12

葉。軸に数枚つく

バラ科
花　期：4～5月
草　丈：20㎝前後
生育地：野山の草地、丘陵
分　布：北海道～九州

花は倒れるように咲くことが多い

春

葉先には3枚の葉がつきますが、柄には小さな葉が並んでついているのでミツバツチグリと見分けられます。

キジムシロ

雉筵

Potentilla fragarioides var.major

花はミツバツチグリに似ているが、株全体が放射状に地面に広がり、よく円形状になる。横に這う枝は出さず、葉のつくりもやや違うが、同じような日当たりのよい所に多い。花の後、葉は大きくなって広がり、これをキジが座るムシロに見立てたのが名の由来。

花。花弁の先が少しへこむ

黄

花は明るい黄色で地面を明るくする

ヘビイチゴ

蛇苺

Potentilla hebiichigo

バラ科
花　期：3〜5月
草　丈：ほふく性
生育地：道端、草地、空き地
分　布：北海道〜沖縄

野原などの日当たりのよい湿った所に生え、茎は地面を這って伸びる。葉は明るい緑色。赤い実は毒性はないが食べてもおいしくなく、見て楽しむ。

実を果実酒にしたところ春を感じる薬効のありそうな果実酒になりました。

葉はやや厚く緑色が濃い

ヤブヘビイチゴ

藪蛇苺

Potentilla indica

バラ科
花　期：4〜6月
草　丈：ほふく性
生育地：草地、林の下やふち
分　布：北海道〜沖縄

ヘビイチゴによく似ているがやや日陰に生え、混生していることもある。全体に大きめで葉の緑色は濃い。実もそっくりだがしわがなく光沢がある。

ヒメヘビイチゴに比べるとごつい感じでなんとなく男性っぽさを感じます。

ヒメヘビイチゴ

姫蛇苺

Potentilla centigrana

バラ科
花　期：6～8月
草　丈：ほふく性
生育地：山地の草地や道端
分　布：北海道～九州

湿った所に生え、全体に小さいが茎は長く伸びて這い広がり、細い花茎の先に小さな花をつける。葉裏は白っぽく、実は熟しても赤くならない。

茎は赤みを帯びることがある

這うように広がっている様子は健気に頑張っているような印象を持ちます。

オヘビイチゴ

雄蛇苺

Potentilla anemonifolia

バラ科
花　期：4～6月
草　丈：ほふく性
生育地：草地、道端
分　布：本州～九州

ヘビイチゴの仲間は皆よく似ているが、本種は茎の下部の葉が掌状に５つに分かれる。群生すると地面を黄色に染める。実は赤くならない。

茎の上の方の葉は３つに分かれる

湿り気のあるところに多く、撮影しているとついズボンの膝を湿らせます。

花期
1
2
3
4
5
6
7
8
9
10
11
12

春

薄暗い林の下で、葉の陰に咲く白い花が目につく

実はまるく秋に黒く熟す

イヌサフラン科
花　期：4〜5月
草　丈：30〜60㎝
生育地：林の下、道端
分　布：北海道〜九州

ホウチャクソウ

宝鐸草

Disporum sessile var.sessile

森の小道で見かけたホウチャクソウの花たちは僕が通りかかるのを待ってくれていたかのようでした。

花は白いが先の方が緑色をしている

林内のやや薄暗い所に生え群生もする。茎は上の方で二又に枝分かれし、その先に花を下向きにつける。花は柄があり、平開せず筒状で１〜３個がぶら下がる。毒性があり春の新芽はアマドコロ（p.115）などの食べられる野草とよく似ているので注意が必要。

白
緑

マツバウンラン

松葉海蘭

Nuttallantus canadensis

オオバコ科
花　期：4〜6月
草　丈：30〜60㎝
生育地：草地、道端
原　産：北アメリカ

細い茎が立つ姿が印象的。花は下方が3つに分かれ、中央が白く盛り上がる。可愛らしい草姿だが、繁殖力が強く分布を広げている帰化植物。

茎の葉は細くマツバの名もここから

海沿いの公園の芝生に広がるこの花は綺麗だけど帰化植物と思うとちょっと不安。

春

ハルガヤ

春茅

Anthoxanthum odoratum ssp.odoratum

イネ科
花　期：5〜7月
草　丈：20〜50㎝
生育地：草地、川沿い、道端
原　産：ヨーロッパ、シベリア

牧草として移入されたが、今は広く野生化している。花は小さく多数がつき、穂状（すいじょう）に見える。また雌しべの先が長く、穂の外に飛び出している。

花はやや光沢があり、全体に桜餅のような香りがする

芳香成分クマリンを含むので干した束を壁にかけ時々香りを楽しみます。

花は小さいが、輝くような黄色で美しい

葉の基部の葉状のむかご

冬の様子

ベンケイソウ科
花　期：5〜6月
草　丈：15cm前後
生育地：道端、草地、田の畦
分　布：本州〜沖縄

コモチマンネングサ

子持ち万年草

Sedum bulbiferum

種子はできず、雄しべは花粉もできません。種子の代わりのむかごは新芽のように葉が集まってできています。

花。花弁は５枚で先がとがる

道端や田の畦などで見かける。草丈は低いが日向に咲く黄色い花はよく目につく。茎の下部は地を這い、上部はななめに立ち上がる。葉は肉厚で、つけねにむかごをつけ、種子はできずこのむかごが落ちて子株をつくる。この仲間には似ているいくつかの種類がある。

メキシコマンネングサ
写真の株は植えられていたものが野生化したものだが、原産地は不明。

タイトゴメ
マンネングサの仲間で海岸の岩場などに生え、葉は小さく秋には紅葉する。

ツルマンネングサ
茎が赤みを帯び、長く地を這うのが特徴。古い時代の帰化種といわれる。

キリンソウ
マンネングサの仲間で、海岸や山地に自生する。漢字名は「黄輪草」。

花期
1
2
3
4
5
6
7
8
9
10
11
12

春、イネの種もみを水に漬ける頃に花が咲くことから名がついた

ミチタネツケバナ

アブラナ科
花　期：4～6月
草　丈：20㎝前後
生育地：田畑、草地、道端
分　布：北海道～沖縄

春

タネツケバナ

種漬花

Cardamine occulta

田植え前の田んぼや草はらに咲くこの花は、日本の春の風景には欠かせない春のメンバーの一員です。

花はナズナより大きめ

やや湿った所に生え、田の畦などによく群生している。茎は紫色を帯びることが多い。次ページのナズナに似ているが、実の形が違い、タネツケバナは細長くナズナは三角形。最近は帰化種のミチタネツケバナがよく見られるが、花期がより早く実が茎に沿うようにつく。

白

実は熟すと2つに割れる

冬の日向で咲く花

アブラナ科
花　期：3～5月
草　丈：30㎝前後
生育地：道端、草地、空き地
分　布：北海道～沖縄

実の形が三味線のばちに似ていることから、別名ペンペングサ

いたる所に生えているこの草を見ると、その繁殖力の強さに驚かされます。

ナズナ

薺

Capsella bursa-pastoris

春の七草の１つにも数えられ、身近でごくふつうに見られる。冬はロゼット（葉を放射状に広げて、地面に張りつく）の姿ですごし、春になると中心から茎を伸ばして花を咲かせる。根元の葉と茎につく葉は形が違う。実は小さな三角形で、先端がへこんでいる。

花は花弁が4枚の十字形

花期
1
2
3
4
5
6
7
8
9
10
11
12

淡紫色の花びらと、黄色の雄しべの葯が美しい

熟した実

葉は薄くて柔らかい

アブラナ科
花　期：3～5月
草　丈：60㎝前後
生育地：道端、草地、空き地
原　産：中国

春

ショカツサイ

諸葛菜

Orychophragmus violaceus

この花は花壇で咲いているよりも、逃げ出して土手などで咲いている方が元気そうに見えます。

江戸時代に導入され、観賞用に栽培されていたが、今では自生の花のように市街地などでよく見られ、春の花として定着している。オオアラセイトウ、ムラサキハナナ、シキンソウなど、たくさんの別名があり、ときに白花もある。若葉は食べられる。

紫
白

白花が混じって咲く

イヌガラシ

犬芥子

Rorippa indica

アブラナ科
花　期：4～9月
草　丈：30㎝前後
生育地：道端、草地、畑地
分　布：北海道～九州

やや湿った所に生える。花は黄色で、茎はときに紫褐色を帯びる。カラシナに似て違うものなのでイヌとつくが、辛味があり若葉は食べられる。

花はアブラナ科特有の十字形。葉の緑は濃い

花の盛りは春なのですが、夏も秋も、冬でも花が見られます。

スカシタゴボウ

透かし田牛蒡

Rorippa palustris

アブラナ科
花　期：4～10月
草　丈：50㎝前後
生育地：田畑、道端
分　布：北海道～九州

湿った草地などで見られ、花は小さく葉の切れ込みはあらい。実は短い円柱形で、ほかの似ているアブラナ科の仲間とはこの実で見分けられる。

変わった名だが由来は不明

実は米俵のような形なので、細長い実のイヌガラシとすぐ見分けられます。

花期
1
2
3
4
5
6
7
8
9
10
11
12

明治時代に確認された帰化植物で、全国に広がっている

実は軸に沿う

葉は切れ込みが深い

アブラナ科
花　期：4〜6月
草　丈：60cm前後
生育地：道端、草地、空き地
原　産：ヨーロッパ

春

カキネガラシ

垣根芥子

Sisymbrium officinale

花の枝がまだ伸びていない時期は見極めがむずかしく、花の枝が伸びてようやくわかります。

花は黄色で小さい

道端や荒れ地などで見かける。帰化植物で、草姿に特徴がある。枝を水平に張り出し、実が軸に沿ってぴったりとつくので、遠目には枝がジグザグしているように見える。花は十字形で花弁は４枚。茎の下部の葉は、ダイコンの葉のように深く切れ込む。

黄

まるく平たい小さな実

グンバイナズナの実

花の穂の下にまるい実がつらなる

アブラナ科
花　期：5〜6月
草　丈：40cm前後
生育地：草地、河原、空き地
原　産：北アメリカ

花よりも、花の下についている実の数が多くて、その方が目を引きます。

マメグンバイナズナ

豆軍配薺

Lepidium virginicum

道端や空き地などで見かける。明治時代に渡来したといわれ、今では全国的に見られる帰化種。茎は上方で多数枝分かれする。実は平たくて小さく先がへこむ。グンバイナズナもやはり帰化種で、実は同じような軍配形だが、より大きい。いずれも実の形が名の由来。

花は小さく、花弁がないときもある

花期
1
2
3
4
5
6
7
8
9
10
11
12

葉の基部が茎を抱くことがセイヨウカラシナとの違い

セイヨウカラシナ

アブラナ科
花　期：3〜4月
草　丈：1m前後
生育地：土手、河原、畑地
原　産：ヨーロッパ

春

セイヨウアブラナ

西洋油菜

Brassica napus

河原を一面に染めるセイヨウアブラナは、数種ある「菜の花」の代表格といえます。

花は黄色で、花弁は４枚

春に河原や土手に群生する菜の花といえばこのセイヨウアブラナのことが多い。明治以後に導入され油を採るために栽培されるが、野生化もしている。葉は粉をふいたような緑色で、基部は茎を抱くのが特徴。同じく菜の花と呼ばれるものにセイヨウカラシナがある。

黄

実は円柱形

緑色のままの冬の葉

アブラナ科
花　期：4～6月
草　丈：30㎝前後
生育地：浅い川の水辺など
原　産：ユーラシア

花の頃は、葉も大きくかたくなる

最近下水道が整ったため、ドブ川だった川がきれいになり、この花に出会う機会が多くなりました。

オランダガラシ

和蘭芥子
Nasturtium officinale

クレソン（フランス語）の名でサラダなどに利用される。明治時代に洋食の普及とともに導入されたが、野生化し川辺に群生していることもある。葉は冬も残り赤褐色になるものもあり、春には白い花を咲かせる。清流に生えるといわれるが市街地の川でも見られる。

花。中心の蕾は淡褐色

グビジンソウの名でも知られ、シャレーポピーともいう

ヒナゲシの実

アイスランドポピー

ケシ科
花　期：4～5月
草　丈：60㎝前後
生育地：花壇、庭、草地
原　産：西アジア

ヒナゲシ

雛罌粟

Papaver rhoeas

八重咲き品種

花壇などでよく一面に植えられる。単にポピーとも呼ばれ、繊細な感じの花だが、寒さに強く丈夫で、野生化もしている。花色は赤、ピンク、白などで黄色系はない。ほかにポピーといって植えられるのはアイスランドポピー。花は大きめで、黄色の花もある。

実は下向きにつく

葉は薄く柔らかい

ケシ科
花　期：4〜6月
草　丈：30㎝前後
生育地：道端、草地、林のふち
分　布：北海道〜沖縄

花は穂になり、横向きや、やや下向きに咲く

山菜のシーズンによく目立ち、柔らかそうで食べられそうに見えますが、有毒なので要注意の植物です。

ムラサキケマン

紫華鬘
Corydalis incisa

平地から山麓まで生育範囲は広く、やや湿った所に生えている。全体に柔らかいが、茎は少し角ばっていて、葉は細かく切れ込む。花は細長い筒状で、先が唇状に開き、後方は袋になって後ろに突き出す。実は下向きにつき、熟すとはじけて種子を飛ばす。ヤブケマンともいう。

花の先は唇状に開く

花期
1
2
3
4
5
6
7
8
9
10
11
12

春の野草にオレンジ色は少なく、よく目につく

若い実

早春、地面に張りつく葉

ケシ科
花　期：3～5月
草　丈：30㎝前後
生育地：道端、草地、空き地
原　産：ヨーロッパ

春

ナガミヒナゲシ

長実雛罌粟

Papaver dubium

花壇に植えても似合いそうな色鮮やかな花で、空き地や道路ぎわでもよく目立ちます。

花。花弁は４枚

市街地に多く、オレンジ色の花が目立つケシの仲間。昭和の中頃に、東京で見つけられた比較的新しい帰化植物だが、今では各地に分布を広げ、観賞用に栽培されることもある。花は蕾のときは垂れていて、開くときに上を向く。実が細長いことが名の由来。

赤

黄

実は細く、上向きにつく

芽立ち頃の葉

ケシ科
花　期：5〜7月
草　丈：60㎝前後
生育地：道端、草地、空き地
分　布：本州〜九州

茎や葉裏に白い毛が多い

花期 1 2 3 4 5 6 7 8 9 10 11 12

春

若い茎には白くて長い毛があり、茎を折ってみて、黄色い汁が出れば、花がなくてもクサノオウだとわかります。

クサノオウ

草の黄、瘡の王

Chelidonium majus ssp.asiaticum

全体に柔らかく、白っぽい緑色の草で、市街地周辺でも見られる。花は鮮やかな黄色で花弁は4枚。茎や葉を切ると黄色い乳液が出る。有毒だが、皮膚病に薬効があり、昔から民間薬として使われてきた。「草の黄（くさのおう）」、「瘡の王（くさのおう）」と書くのもこれらのことに由来するといわれる。

花。雌しべが目立つ

黄

花期
1
2
3
4
5
6
7
8
9
10
11
12

春

鉢植えなどはお正月に見られるが自生種は３月頃から咲く

品種「秩父紅」

品種「紅撫子」

キンポウゲ科
花　期：3〜4月
草　丈：20cm前後
生育地：庭、鉢植え、山野の落葉樹林下
分　布：北海道〜九州

フクジュソウ

福寿草

Adonis ramosa

実。多数がまるく集まり茎も伸びる

春、まだ葉の茂らない落葉樹林の下に黄金色の花を咲かせる。栽培もよくされ、お正月用の寄せ植えや庭などで見ることも多い。江戸時代にはすでに多数の品種がつくられた。ガンジツソウとも呼ばれる。葉は細かく切れ込み、花が終わる頃茎とともに伸びてくる。

赤
黄

春先の若葉

長い花茎の先に清楚な花を咲かせる

キンポウゲ科
花　期：4〜5月
草　丈：20㎝前後
生育地：野山の林のふち、林下
分　布：北海道〜九州

雑木林の下や小川のふちなどで見かけるはかない命の春の妖精、スプリングエフェメラルの1つです。

ニリンソウ

二輪草

Anemone flaccida

林の下などに生える草花だが、花壇で見られるアネモネ（p.97）の仲間。1本の茎に花が2個つくのでこの名があるが1個や3個のものもある。花に花弁はなく白い部分は萼片（がくへん）。若葉は食べられるが、毒草のトリカブト類によく似ているので花の時期以外は注意が必要。

花は白色

花はまばらに咲く。葉はセリのように細かく切れ込む

若い実

春早く出てきた葉

キンポウゲ科
花　期：4～5月
草　丈：30㎝前後
生育地：草地、林のふち
原　産：中国

セリバヒエンソウ

芹葉飛燕草
Delphinium anthriscifolium

花の形が燕の飛ぶ姿を思わせ、葉はセリに似ているためにつけられた名前です。

花は淡紫色

明治時代に入った帰化植物だが、東京周辺に多く見られ、はでに分布を広げるふうでもなく、林のふちなどで咲いている。花は淡紫色で、スミレのように後ろに突き出す部分（距(きょ)）があり、全体は鳥が飛ぶような姿を思わせ野草の雰囲気がある。

白花品種

雌しべ、雄しべが目立つ

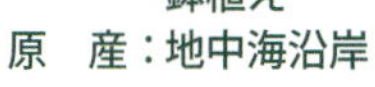

キンポウゲ科
花　期：4～5月
草　丈：30㎝前後
生育地：花壇、庭、鉢植え
原　産：地中海沿岸

花弁の基部は白く、中心が黒っぽい代表的な品種

アネモネ

ボタンイチゲ、ハナイチゲ

Anemone coronaria

春の花壇を華やかに彩る花で、色合いはカラフル。花の中心の雌しべ、雄しべが黒っぽく、よく目立つ。花のやや下には、はじめ花を包んでいた苞葉（ほうよう）がついている。葉は根元につき、深く切れ込む。ヨーロッパで改良が進んだ園芸種で、昭和初期に輸入された。

淡紫色の菊咲き品種

クレマチスの代表のような、紫色の品種

品種「マークハムズピンク」

テッセン

キンポウゲ科
花　期：5〜6月
草　丈：つる性
生育地：花壇、庭
原　産：世界の温帯各地

クレマチス

Clematis

花好きのお宅では道に面したフェンスで咲かせていることが多いので、散歩道での楽しみの1つです。

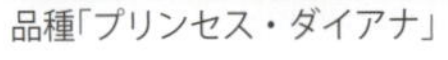

品種「プリンセス・ダイアナ」

庭や花壇で見られ、春から初夏に咲く大きな花は存在感がある。日本産のカザグルマや中国産のテッセン、ヨーロッパ産の原種類の交雑からつくられた園芸種で、改良の歴史も古い。品種も多数あるが、最近は耐寒性のあるものや、原種系の花が小さいものも好まれる。

金平糖のような実

キツネノボタンの実

つやのある花とまるい実が特徴で、田んぼの畦などに多い

キンポウゲ科
花　期：3〜6月
草　丈：40㎝前後
生育地：草地、田の畦、池のふち
分　布：本州〜沖縄

ケキツネノボタン

毛狐の牡丹

Ranunculus cantoniensis

水辺で見かけることが多く葉の形に特徴があるので、花の時期以外でもすぐにわかります。

湿った所に生え、水田の雑草として知られる。有毒植物。金平糖（こんぺいとう）のような形の実が特徴だが、これはさらに小さい実が集まったもので、それぞれの実は先がとがっている。似ているキツネノボタンは山地に多く、全体が細め。実の先は強く曲がっている。

花は光沢がある

花期
1
2
3
4
5
6
7
8
9
10
11
12

春

明るい日差しのもと、長い茎をゆらせて花を輝かせる

根元の葉

実。多数がまるく集まる

キンポウゲ科
花　期：4〜5月
草　丈：30〜70㎝
生育地：野山の道端、草地、土手
分　布：北海道〜沖縄

ウマノアシガタ

馬の脚形

Ranunculus japonicus

根元の葉が馬の蹄に似ているとのことですが僕はそうは思えず、別名のキンポウゲの方が、らしさを感じます。

花は雄しべ雌しべが多数ある

黄

日当たりのよい所に生える。根元に葉を繁らせ、茎が伸び出て枝を分けその先に花をつける。茎や葉(よう)柄(へい)に白い毛が多く、葉は上にいくほど小さくなる。花は黄色で光沢があり、日差しを受けててらてらと輝く。別名はキンポウゲ（金鳳花）。有毒植物でもある。

花期
1
2
3
4
5
6
7
8
9
10
11
12

葉。柔らかいがざらつく

実。数個の突起がある

ハマミズナ科
花　期：4〜10月
草　丈：40〜60㎝
生育地：海岸の砂地、礫地
分　布：北海道〜九州

強い風や日差しのあたる海岸の砂場や岩場で見られる

春

畑で栽培されているものはいかにも野菜ですが、海岸で自生しているツルナは逞しくその生命力に圧倒されます。

ツルナ

蔓菜

Tetragonia tetragonoides

海岸に生え、全体に多肉で触るとざらざらするが、食用になり栽培もされた。茎は這うように広がり立ち上がる。葉のわきに黄色の小さな花をつけるが、黄色い部分は萼(がく)の内側で花弁はない。実は4〜5個の突起があり、かたくて割れず、波に流されて分布を広げる。

花。半開きのものも多い

黄

道端などで見かける。枯れると全体が白っぽくなる

マカラスムギの花の穂

猫が食べるマカラスムギ

イネ科
花　期：4〜6月
草　丈：80㎝前後
生育地：道端、空き地、線路沿い
原　産：ヨーロッパ〜西アジア

カラスムギ

烏麦

Avena fatua

花の穂の芒は長い

大きな草で古い帰化植物だが、身近な所でよく見られる。緑色の花の穂はぶら下がり、よく見ると長い芒（のぎ）（剛毛状の突起）がある。カラスムギから育成されたといわれるマカラスムギ（オートムギ）は、オートミールなど食用にされ若葉は猫の草として売られている。

葉の基部。白い膜がある

早春に出てきた葉

イネ科
花　期：4～5月
草　丈：70cm前後
生育地：道端、空き地、土手
原　産：南アメリカ

茎は数本がまとまって生える。荒れ地などに多い

冬でも緑色の葉を茂らせていて、春になると花茎が伸び特徴ある花穂が出るたくましい植物です。

イヌムギ

犬麦

Bromus catharticus

道端や空き地などで見られ、同じイネ科のカラスムギと一緒に生えていることもあるが、カラスムギよりも草丈は低い。花の穂は細い楕円形で、平たくてかたい。明治のはじめ頃に渡来し、牧草として栽培されたが、広く野生化して全国的な雑草となっている。

花の穂は平たく、かたい

花期
1
2
3
4
5
6
7
8
9
10
11
12

春

まるく集まった花は雄しべの黄色い葯も目立つ

葉の先は尖らず黒っぽい

早春の葉は寒さで色づく

イグサ科
花　期：3〜5月
草　丈：20cm前後
生育地：道端、草地、土手
分　布：北海道〜沖縄

スズメノヤリ

雀の槍

Luzula capitata

草はらで小さなまるい花穂を見つけたら、葉の先を見てください。尖っていなければスズメノヤリだとわかります。

花は茶褐色

日当たりのよい草地や土手などに生え、茶色のまるい花の穂が目を引く。花の穂には、たくさんの小さい花が集まっている。葉は細く、ふちに長くて白い毛があり、全体が毛深く見える。名は、まるい花(か)穂(すい)を大名行列の毛槍に見立て、小さいので「スズメ」がついた。

黄
緑

花が終わった後

葉は冬も枯れない

アヤメ科
花　期：4〜5月
草　丈：50㎝前後
生育地：公園の植え込み、林内や林縁
分　布：本州〜九州

花は朝開き夕方にはしぼむ一日花

花穂にはたくさん蕾がついているので、春早くから咲き出す花は次々咲き続けて、晩春まで見られます。

シャガ

射干

Iris japonica

林の下などやや湿った所に生えるが、公園などにも植えられる。自生のものは古くに中国から渡来し、野生化したと考えられている。葉は常緑で厚く光沢がある。花は淡紫色を帯びた白で、薄暗い所で咲く姿は独特の雰囲気がある。種子はできず地下茎でふえる。

花弁には2色の斑紋がある

花色は、はっきりしたものや中間色など、さまざま

葉は扇状に出る

ダッチアイリス

アヤメ科
花　期：4〜5月
草　丈：60㎝前後
生育地：花壇、庭
原　産：ヨーロッパ

ジャーマンアイリス

ドイツアヤメ
Iris germanica

大きい花びらが目立ち、花色もさまざまなので、花壇は着飾った西洋の婦人たちという印象です。

豪華な花姿と色の豊富さは、花壇のなかでも目を引く。いくつかの原種を交配し、ヨーロッパで作出されたが、アメリカでつくられたものも多く、品種は多彩。ダッチアイリスはオランダで育成されたもので、ジャーマンアイリスよりも全体に小形で、すっきりした姿。

白花品種

花期
1
2
3
4
5
6
7
8
9
10
11
12

葉はスイセンに似る

白い釣り鐘形の花が咲く様子はスズランに似ている

ヒガンバナ科
花　期：4～5月
草　丈：40㎝前後
生育地：花壇、公園の植え込み、庭
原　産：ヨーロッパ中南部

春

スノーフレーク

スズランズイセン
Leucojum aestivum

緑のアクセントのある白い小さめの花が下向きに咲き、洒落たガラス製のランプシェードを思わせます。

公園の植え込みなどに植えられるが、丈夫でよくふえ、庭などでも群生しているのが見られる。葉はスイセン（p.108）に似ているが、やや幅が広い。早春に地面から葉を出し、その後花茎を伸ばして、数個の花を下向きに咲かせる。別名はスズランズイセン。

花は先端に緑色の斑点がある

白
緑

花期

1
2
3
4
5
6
7
8
9
10
11
12

春

ニホンズイセン。古くに中国を経て渡来したとされる

品種「テイタテイト」

ニホンズイセンの葉

ヒガンバナ科
花　期：12〜4月
草　丈：30cm前後
生育地：花壇、庭、海岸
原　産：南ヨーロッパ、北アフリカ

スイセン

水仙

Narcissus

白
黄

品種「ペーパーホワイト」

単にスイセンといえば、ニホンズイセンを指すことが多く、庭や花壇に植えられる。スイセンの仲間は栽培の歴史も古く、フサザキズイセン、ラッパズイセン、キズイセンなど非常に多くの品種がある。花が清楚なものから大形のものなど、春の花壇には欠かせない。

フサザキズイセン「オーレウス」
ニホンズイセンの仲間で、濃い黄色の花を多数つける。

ナルキッスス・ブルボコディウム
ペチコートスイセンとも呼ばれ、ラッパ形の花をつける。

春

品種「ディックシセル」
花は全体に柔らかい黄色。香りがあり咲き進むと中心が白っぽくなる。

ラッパズイセン「マウントフッド」
中のラッパ状の花びらが、周囲の花びらと同長か、より長い。

花期
1
2
3
4
5
6
7
8
9
10
11
12

花の茎は細くまっすぐに伸び、風にゆれる

開花前、薄い膜が包む

春先の若い葉

ヒガンバナ科
花　期：5〜6月
草　丈：40㎝前後
生育地：草地、土手、田畑の畦
分　布：北海道〜沖縄

春

ノビル

野蒜

Allium macrostemon

冬の野原で、出たばかりの細くて若い葉を見かけることがあります。葉はネギと同じように食べられます。

花は雄しべが長い

全体に柔らかく、ニラのような匂いがする。ネギやニラの仲間。市街地の草むらなどでも見られる。花の穂はむかごがかたまってつき、花はまばらに咲くことが多いが、その様子は線香花火に似ていて、はかなげな感じ。むかごだけで終わるものもある。

桃
白

葉は白っぽい緑色

ヒガンバナ科
花　期：3～4月
草　丈：15㎝前後
生育地：花壇、庭、道端
原　産：南アメリカ

花の形から、英名はスプリングスターフラワー

ハナニラ

花韮

Ipheion uniflorum

葉はさわった感触が韮に似ていて韮の匂いもします。花がアマナに似ているのでセイヨウアマナとも呼びます。

庭などで見られ、学名からイフェイオンとも呼ばれるが、ハナニラの名のほうが親しまれている。花は白色で、淡紫色もある。葉はニラのような匂いがあり、あまり立ち上がらず地面に広がる。丈夫でよくふえ、逃げ出したものが道端などでよく咲いている。

花。花びらの中央にすじがある

春の花壇の代表は、やはりチューリップ

品種「ウニクム」

若い実

ユリ科
花　期：3～5月
草　丈：50cm前後
生育地：花壇、庭
原　産：中央アジア、北アフリカ

チューリップ

Tulipa gesneriana

花色は豊富で、花の形はコップ形や壺形のほか、百合咲きや八重咲きもあります。雨の日は花が開かないものもあります。

ユリ咲きの品種

花壇の花として歴史も古く、16世紀にトルコからヨーロッパにもたらされ、とくにオランダで改良されて発展をとげた。日本へは江戸時代末期に渡来。現在では日本海側の地方で球根栽培がされている。多数の品種があり、花の形や色、丈の高さなどで分けられる。

実にはひれがある

茎の下部の葉は対生する

ユリ科
花　期：4〜5月
草　丈：60㎝前後
生育地：花壇
原　産：中国

花の色と、先が巻いている葉が特徴

バイモ

貝母

Fritillaria thunbergii

巻きひげ状に伸びた葉は、隣の株と手を繋ぐように軽く巻きつき、お互いに支えあっているようにも見えます。

薬用植物として栽培されるが、花壇などにも植えられる。茎の上部の葉は、先が巻きひげのように巻いている。花は内側に紫色の網目模様があり、うつむいて咲く。この花の様子から、別名はアミガサユリ。渋い花色が好まれ、茶花にもされる。

花の内側には網目模様がある

花期
1
2
3
4
5
6
7
8
9
10
11
12

清楚な花姿だが、日本のスズランとともに有毒

実は赤く熟す

在来種のスズラン

キジカクシ科
花　期：4〜6月
草　丈：25cm前後
生育地：花壇、庭
原　産：ヨーロッパ

春

ドイツスズラン

独逸鈴蘭

Convallaria majalis

有毒で毒性は死に至る場合もあるほど。スズランを活けた水を飲んでも中毒を起こすことがあるようです。

白い小さな花が連なる

白

日本には高原に自生するスズランがあるが、園芸店で見かけるものはこのドイツスズラン。花も葉も大きめで香りも強い。斑入り葉(ふいりば)やピンク色の品種もある。花茎は葉と同じくらいの高さになるので、花がよく見えるが、日本のスズランは、葉の陰に隠れるように咲く。

実は黒紫色

斑（ふ）入りの品種

キジカクシ科
花　期：4～5月
草　丈：60cm前後
生育地：庭、野山の草地
分　布：北海道～九州

葉は垂れず、横から見ると花がよく見える

斑入りなどの園芸品種は落ち着いた雰囲気で、和風の庭にはよく似合います。

アマドコロ

甘野老

Polygonatum odoratum var.pluriflorum

野山の日当たりのよい所に生えるが、庭にもよく植えられる。茎は角ばり、ややななめに立ち、葉のわきから、垂れ下がるように筒形の花を1～2個つける。葉に白い斑（ふ）の入った品種があり、植えられるのはこの品種が多く、切り花にも利用される。

花の先は緑色を帯びる

花期 1 2 3 4 **5** **6** 7 8 9 10 11 12

春

ピンク色の品種

春に出てきた葉

キジカクシ科
花　期：5～6月
草　丈：40㎝前後
生育地：花壇、庭
原　産：ヨーロッパ南部

丈夫で、多少日当たりの悪い所でも育つ

シラー・カンパニュラタ

学名がシラー・カンパニュラタからヒアシンソイデス・ヒスパニカになったのになぜか今でも名前は昔のまま。

ツリガネズイセン

Hyacinthoides hispanica

青 紫 桃 白

青紫色の花

花壇などで見かける。釣り鐘形の花を咲かせることから別名ツリガネズイセン。春に出た葉の中心から花茎をまっすぐに伸ばし、穂状(すいじょう)に花を咲かせる。シラー属から現在はヒアシンソイデス属になったが、シラー・カンパニュラタの名で販売されることが多い。

白花品種

キジカクシ科
花　期：5～6月
草　丈：40cm前後
生育地：花壇、庭
原　産：ヨーロッパ南部、北アフリカ

大きな傘形の花の穂が印象的

日本に自生するツルボ（p.357）の仲間で、別名はオオツルボですが、ツルボとはあまり似ていません。

シラー・ペルビアナ

オオツルボ

Scilla peruviana

シラー・カンパニュラタと同じく花壇などに植えられるが、全体がどっしりした感じで、花の茎は太く、カンパニュラタ種より葉の幅も広い。花は多数が傘を広げたような形につき、青紫色に雄しべの葯の黄色が美しい。白花品種もある。別名はオオツルボ。

花は色どりが美しい

白花品種

二色咲き品種

キジカクシ科
花　期：3〜4月
草　丈：20㎝前後
生育地：花壇、庭
原　産：地中海沿岸〜西南アジア

ほかの花にはない青い花色が人気。小さいので群植される

ムスカリ

Muscari

📷石垣のすき間や庭の片隅で、手をかけないのに毎年咲く花は野生の雰囲気があり、小さいながらたくましい感じです。

青い花色と、小さな花がかたまって咲く姿が特徴的な花壇の花。鉢植えにもされる。草丈は低いが群植されていると、一面が青紫色におおわれる。青色のものが一般的だが、白や二色咲きなどもある。丈夫な草花で、ときに草むらでポツンと咲いていることがある。

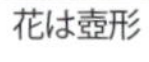

花は壺形

花期
1
2
3
4
5
6
7
8
9
10
11
12

ウンベラツム種の実

切り花のダビウム種

キジカクシ科
花　期：3～5月
草　丈：20～60㎝
生育地：花壇、草地
原　産：ヨーロッパ、西アジア、アフリカ

星を散らしたように一面に咲くウンベラツム種

春

オーニソガラム

オオアマナ

Ornithogalum

落葉樹の林の下に咲く花は、日本の風景の中では違和感があり、バタ臭さを感じます。

オーニソガラムはいくつか仲間があり、花壇や切り花でも見かけるが、耐寒性が強くて丈夫なウンベラツム種は花壇から逃げ出し、野生化している。草丈は低く、細くて濃緑色の葉を多数地面に広げる。花は純白の星形で、日当たりのよい草地などで見かける。

花は純白

白
黄

ツクシは、土から出たその姿から「土筆」とも書く

栄養茎のスギナ

トクサ科
草　丈：30㎝前後
生育地：草地、土手、田の畦
分　布：北海道〜九州

スギナ

杉菜

Equisetum arvense

食べるには茎のはかまを取る必要があり、それが面倒なためかツクシを摘む人はあまり見かけません。

土手や田の畦などでよく見られるスギナはシダの仲間。胞子を飛ばしてふえ、その胞子を飛ばすのが、春の野でおなじみのツクシ。ツクシは胞子茎といわれ、胞子を出し終えると枯れて、栄養茎のスギナが出てくる。ツクシと同じく若いスギナも食べられる。

穂の部分から淡緑色の胞子を飛ばす

トクサ

砥草、木賊

Equisetum hyemale

トクサ科
草　丈：50〜100㎝
生育地：山地の湿地、庭、庭園
分　布：北海道〜本州（中部地方以北）

湿地に生えるが庭園や庭にも植えられるシダの仲間。常緑性で茎は多数の筋がありざらつく。茎の先にツクシのような穂をつけ胞子(ほうし)を飛ばす。

茎はかたくざらつくので物を磨くのに使われた

実家の庭で撮ったこのトクサ、子供の頃はこれで爪を磨いて遊びました。

オニヤブソテツ

鬼藪蘇鉄

Cyrtomium falcatum

オシダ科
草　丈：葉の長さ50〜70㎝
生育地：海岸、林のふち、石垣
分　布：北海道（南部）〜沖縄

光沢のある濃緑色の葉が印象的な常緑のシダ。小葉は鎌形で8〜15対ほどつき、葉裏に胞子嚢(ほうしのう)を多数つける。庭などにも植えられ身近でよく見る。

日差しの強い所や日陰にも生えて美しい

カメラを抱えて探し続け、ようやく公園の石垣でこの株に出会いました。

水はけのよい所を好み、垂れ下がるように咲く

葉は薄い

キク科
花　期：4～10月
草　丈：30㎝前後
生育地：庭、道端、石垣
原　産：北アメリカ

ペラペラヨメナ

ゲンペイコギク

Erigeron karvinskianus

石垣のすき間がとても好きなようで、人が植えるはずのない川沿いの石垣などで咲いているのを見かけます。

花は白く、だんだん赤くなる

花は小さめで茎も細く、全体にきゃしゃな草姿で石垣のすき間などに生える。園芸種として植えられるが、逃げ出したものが道端などで咲いている。花が白から赤く変わっていくのでゲンペイコギクの名もあり、学名からエリゲロン・カルヴィンスキアヌスといわれる。

茎のかたい毛は横向き

実につく毛は薄茶色

かたい毛があり、名もこわいが若芽は食べられる

キク科
花　期：5〜10月
草　丈：1m前後
生育地：野山の道端、草地
分　布：北海道〜九州

コウゾリナ

髪剃菜

Picris hieracioides ssp.japonica

茎のかたい毛はさわるとジョリッという感じがして、この花を見るとその感触を試したくなります。

野山の道端などの日当たりのよい所に生える。茎や葉にかたい毛があってざらつき、さわると手が切れそうな感じをカミソリにたとえたといわれる。花は濃い黄色。花の下の筒状の部分（総苞（そうほう））は黒っぽい緑色で、遠目にもコウゾリナとわかる。

花は濃い黄色

花期
1
2
3
4
5
6
7
8
9
10
11
12

陽春

根元に葉が多く、葉には長い柄がある

実は細長く、毛がある

茎の葉は基部が茎を抱く

キク科
花　期：5〜7月
草　丈：40㎝前後
生育地：野山の草地、丘陵
分　布：北海道〜沖縄

ニガナ

苦菜

Ixeridium dentatum ssp. dentatum

よく見かける雑草ですが花は品が良くてスマートなので好感がもてます。

黄

花びらの1つ1つが小さな花

草地や土手などで見かける。花弁は5〜7枚で、近縁のジシバリ類（p.40）よりシンプルな感じ。日当たりのよい所ではよく群生して、一面を黄色に染める。茎は細く、上の方で枝分かれして花をつける。茎や葉を切ると苦い乳液が出ることから名がある。

冬、地面に張りつく葉

コオニタビラコ

キク科
花　期：5～7月
草　丈：25cm前後
生育地：林のふち、林内
分　布：北海道～九州

全体に柔らかく、花がしぼんだ様子も印象に残る

ヤブタビラコ

藪田平子

Lapsanastrum humile

花が開く時間は午前10時ぐらいなので、それより早い時間の散歩では花には出会えません。

林の下など、やや湿った所で見られる。茎はななめに立ち上がり、黄色の小さな花をつける。「田平子（たびらこ）」は、田んぼなどに葉を放射状に平たく広げる様子からで、田でよく見られるのがコオニタビラコ。似ていて、藪などに生えることからヤブタビラコの名がついた。

花弁はコオニタビラコより多い

根元の葉は緑色でやや光沢がある

アオオニタビラコ

青鬼田平子

Youngia japonica ssp.japonica

キク科
花　期：4〜10月
草　丈：20〜80㎝
生育地：道端、草地、庭
分　布：北海道〜沖縄

オニタビラコは最近の研究によりアオオニタビラコと下記のアカオニタビラコに分けられた。本種は茎が複数立ち根元の葉は赤みを帯びない。

アカとアオが違うと知ってから見ると、今まで違いに気づかなかったのが残念。

茎も毛があり赤みを帯びることが多い

アカオニタビラコ

赤鬼田平子

Youngia japonica ssp. elstnii

キク科
花　期：4〜5月
草　丈：20〜80㎝
生育地：道端、草地、庭
分　布：北海道〜九州

根元の葉は赤みを帯び、毛が多くフェルト状になることもある。茎は太くほぼ一本で、その先に花をつける。ほかに細い茎が複数出ることもある。

茎が太めで赤っぽいので見ているとその名の通りの「赤鬼」を連想します。

葉は切れ込みが深い

キク科
花　期：5〜6月
草　丈：80㎝前後
生育地：草地、畑地
分　布：本州〜沖縄

畑の近くなどに多いが、農耕文化とともに入った古い帰化植物

キツネアザミ

狐薊

Hemisteptia lyrata

日当たりのよい野原で、高く伸びた茎の上に、アザミに似た小さな花が上を向き、競うように咲いています。

草地や畑周辺などで見られる。花を見るとアザミかと思うが、刺はなくアザミではない。これがキツネにだまされたようなので、この名がついたといわれる。茎や葉は柔らかい。茎の上方でよく枝分かれするが、あまり横に広がらず、花もたくさんつく。

花はアザミに似ている

花期

1
2
3
4
5
6
7
8
9
10
11
12

陽春

春から咲くアザミはノアザミだけ

葉には鋭い刺がある

花色豊富なドイツアザミ

キク科
花　期：5〜8月
草　丈：80㎝前後
生育地：草地、土手
分　布：本州〜九州

ノアザミ

野薊

Cirsium japonicum

秋に咲くアザミの仲間に比べると葉も茎も若々しい印象です。しかし刺をさわるとさすがに痛くてアザミらしさを感じます。

紫

桃

雌しべが長く出ている花

アザミの仲間は秋に咲くものが多いが、ノアザミは春に咲く。また花の下の筒状の部分（総苞（そうほう））が粘るのも特徴で、葉は切れ込みが深く、ふちには刺がある。切り花などにされるドイツアザミはノアザミから改良されたもので、ドイツとは関係がない。

葉の切れ込みは細かい

キク科
花　期：5〜9月
草　丈：60㎝前後
生育地：花壇、庭、草地
原　産：ヨーロッパ

花は白のほか、赤やピンクなどがある

草はらで見かけるものは白花ばかりですが、花壇のものは赤やピンクもあり派手な感じです。

セイヨウノコギリソウ

西洋鋸草

Achillea millefolium

花壇などに植えられるが、葉に薬効があり古くから利用されてきた。ハーブとしてヤロウとも呼ばれ、単にアキレアとも呼ばれる。繁殖力が強く、広く野生化している。細かく切れ込んだ葉をノコギリにたとえた名だが、在来種でノコギリソウがあるのでセイヨウとつく。

花は小さく多数咲く

花期

1
2
3
4
5
6
7
8
9
10
11
12

陽春

わきから伸びた枝が、中心の茎より高く伸びるのが特徴

綿毛のようなまるい実

冬を越すロゼット状の葉

キク科
花　期：5～10月
草　丈：50㎝前後
生育地：道端、空き地
原　産：南アメリカ

アレチノギク

荒地野菊
Erigeron bonariensis

秋に咲くオオアレチノギク(p.207)と違い、春から花が見られ、草丈はずっと低く花はやや大きめです。

名のとおり荒れ地や道端などに生えるキクの仲間。明治の頃に入った帰化植物で、一時は少なくなったが、最近はまた見られる。全体に灰色がかった緑色。茎の下の方から出た枝が、茎よりも長くなる。花は小さく、まるい綿毛のような実のほうが目立つ。

花は小さな筒形

白
黄
緑

葉は濃緑色で裏は白い

キク科
花　期：5〜6月
草　丈：25cm前後
生育地：花壇、庭
原　産：南アフリカ

別名はクンショウギク。花は朝開き、夜や曇り日には閉じる

ガザニア

クンショウギク

Gazania x splendens

別名のクンショウギクは花の形を勲章に見立ててのものですが、色は派手で勲章らしく見えません。

初夏の花壇で見られ、切り花にもされる。花はあでやかなはっきりした色合いで、そのまま胸に飾れば、ブローチになりそうな形をしている。花びらの基部には、濃い色の斑紋（はんもん）が入るものが多い。ヨーロッパで改良が進み、日本へは大正時代末期に渡来した。

白花品種

花期
1
2
3
4
5
6
7
8
9
10
11
12

花は春だが、白っぽい葉はほぼ通年楽しめる

花よりも目立つ葉や茎

葉の形が違うシラス種

キク科
花　期：5〜6月
草　丈：50㎝前後
生育地：花壇、庭
原　産：地中海沿岸

陽春

シロタエギク

白妙菊

Jacobaea maritima

花は黄色で小さい

英名でダスティー・ミラーと呼ばれ、全体の姿は白っぽく、雪をかぶったように美しいので、花壇のなかでもひときわ目立つ。茎や葉は白い毛でおおわれ、花は黄色。花よりも葉に観賞価値があり、切り花にも利用される。株が古くなると、茎や葉は緑色になってくる。

黄

葉は全体にヘラ形

シャスターデージー

英名はマーガレットで、区別するためフランスギクの名がついた

キク科
花　期：5〜6月
草　丈：80cm前後
生育地：花壇、庭、空き地
原　産：ヨーロッパ、アジア

フランスギク

白い大きな花は花壇ではおのずと主役。通りかかる人を楽しませてくれます。

Leucanthemum vulgare

マーガレット（p.39）によく似ているが、葉はヘラ形で、深い切れ込みはない。同じように栽培され、切り花にも利用されている。種子でよくふえ、各地で野生化している。シャスターデージーは、フランスギクとハマギク（p.365）などを交雑してつくられた園芸種。

花は中心がやや盛り上がる

花期

1
2
3
4
5
6
7
8
9
10
11
12

花の茎は高く伸び目を引く。別名はハアザミ

秋になる実は目立たない

葉は大きく切れ込みがある

キツネノマゴ科
花　期：5～6月
草　丈：1.2m前後
生育地：花壇、公園の植え込み
原　産：地中海沿岸

陽春

アカンサス

ハアザミ

Acanthus mollis

紫
白
緑

独特な形の花

花の形が独特で、茎は高く伸び、葉も大きくボリュームがある。公園の広い芝生のなかなどに植えられよく目立つ。日本へは大正時代に入ってきた園芸植物だが、古代ギリシャ時代には生命力の象徴の植物とされ、葉が文様化されたものが建築物に用いられた。

白花品種

ヤマシャクヤク

ボタン科
花　期：5〜6月
草　丈：70㎝前後
生育地：花壇、庭
原　産：中国北部〜シベリア

一重咲き品種、「巧の色」

シャクヤク

芍薬

Paeonia lactiflora var.trichocarpa

中国で古くから薬草として栽培され、園芸の草花としても改良が進み、形や色の違う多くの品種がある。日本へは平安時代に渡来したといわれる。似ているボタンは落葉低木だが、シャクヤクは茎が木質化しない草の仲間。日本には山地に自生するヤマシャクヤクがある。

品種「千秋」

花期
1
2
3
4
5
6
7
8
9
10
11
12

花は茎の上部によく咲く

花が咲かない閉鎖花

芽立ち頃は葉が重なる

キキョウ科
花　期：5～7月
草　丈：60㎝前後
生育地：道端、草地、空き地
原　産：北アメリカ

陽春

キキョウソウ

桔梗草

Triodanis perfoliata

花はキキョウよりも小さいですが、雌しべや雄しべの形はよく似ています。

紫

キキョウに似ている花

日当たりのよい芝地などで見かける。花は小さいがキキョウに似ていて美しい。はじめは閉鎖花（へいさか）（蕾のまま咲かずに実になる花）だけつけるが、後に上の方に紫色の花を咲かせる。観賞用に栽培されていたものが野生化した帰化植物。別名はダンダンギキョウ。

花の後部は突き出る

葉は浅く切れ込む

石垣などのすき間から、垂れ下がるように咲いている

オオバコ科
花　期：5〜10月
草　丈：ほふく性
生育地：鉢植え、石垣、道端
原　産：ヨーロッパ

もっと居心地のよい所があるだろうに、好んで石垣のすき間に生える様子には感心させられます。

ツタバウンラン

蔦葉海蘭

Cymbalaria muralis

観賞用に大正時代に導入され、植えられてきたが、庭から逃げ出したものが、道端や石垣のすき間などから生えているのがよく見られる。茎は細く赤みを帯び、地面を這って広がる。花も葉も小さく、葉はすべすべした感じがする。園芸種名はツタカラクサ。

花は黄色の斑点がある

花期
1
2
3
4
5
6
7
8
9
10
11
12

陽春

英名はフォックスグローブ。キツネノテブクロの名もある

花後の実

葉はしわが多い

オオバコ科
花　期：5～6月
草　丈：1.3m 前後
生育地：花壇、庭
原　産：ヨーロッパ

ジギタリス

キツネノテブクロ

Digitalis purpurea

花壇でよく見かける花ですが、有毒だという気持ちで見ると美しさの奥に妖艶さを感じます。

紫
桃
白

花は内側に斑点がある

花壇などで見かける。草丈はときに人の背丈を超えるほどで、花が大きな穂になって多数咲く様子は目を引く。毒性はあるが、強心薬などに利用され古くから栽培されてきた。園芸用に改良されたものは花色がピンクのほか、白、クリームなどがある。

葉は大きく葉脈が目立つ

花は下向きに咲き、全体に大きい株になることが多い

ムラサキ科
花　期：5～9月
草　丈：80cm前後
生育地：花壇、畑地
原　産：地中海沿岸～中央アジア

コンフリー

Symphytum x uplandicum

強い太陽を受けて咲く花には生命力を感じます。しかし毒性が指摘されてからはあまり見かけません。

明治時代に導入されたが、栄養と薬効があることから、昭和の年代に健康野菜としてブームになった。その後は毒性も指摘され、下火に。今は観賞用に植えられたものや、野生化したものが見られる。草丈は高く株も大きくなり、花はピンク色のほか白もある。

白花品種

花期
1
2
3
4
5
6
7
8
9
10
11
12

茎は長く伸び上がり、何本も重なり合って生える

茎には下向きの刺がある

実にも刺がある

アカネ科
花　期：5〜6月
草　丈：70㎝前後
生育地：藪、草地、
空き地
分　布：北海道〜沖縄

陽春

ヤエムグラ

八重葎

Galium spurium var.echinospermon

空き地にはびこる雑草ですが、花も葉もよく見ると洒落たデザインで好きな花の1つです。

花は直径2㎜ほどと小さい

人家の藪などに、よく生い茂っているのが見られる。茎は四角く、葉とともに下向きの刺があり、さわるとざらざらする。この刺でほかの物にひっかかって伸びる。葉は茎を囲むように、6枚ほどがついている。花は白っぽい黄色で小さく、まるい実のほうが目立つ。

白
黄
緑

花期
1
2
3
4
5
6
7
8
9
10
11
12

名は実をナスに見立てた

葉や茎には毛がある

サクラソウ科
花　期：5〜6月
草　丈：ほふく性
生育地：道端、草地、畑地
分　布：北海道〜沖縄

はじめは茎がななめに立ち上がるので、花も見やすい

陽春

葉はハコベ(p.26)に似た感じですが、黄色い花が咲いていたらコナスビです。

コナスビ

小茄子

Lysimachia japonica

足元に咲く小さな花は多いが、コナスビもその１つ。道端や公園などでふつうに見られる。茎ははじめ斜上し、その後地面を這って広がる。花は葉陰に隠れて目立たないが、小さな黄色の花はなかなか可愛らしい。まるい実をナスに見立てたのが名の由来。

花びらが5枚の花らしい花

黄

花期
1
2
3
4
5
6
7
8
9
10
11
12

花は小さく、線香花火のように散らばって咲く

オヤブジラミ

セリ科
花　期：5〜7月
草　丈：50cm前後
生育地：道端、草地、林の中
分　布：北海道〜沖縄

陽春

ヤブジラミ

藪虱

Torilis japonica

オヤブジラミの葉はヤブジラミより細かく切れ込みます。また花期は少し早く、4月から花が見られます。

実にはかぎ状の毛が多い

林のふちの藪など、やや日陰の所で見られる。花は小さく、楕円形の実のほうがよく目につく。実にはかぎ状の毛があり、衣服などによくつくので、シラミにたとえられて名がついた。よく似ているオヤブジラミは、実は大きめで、花や葉、実もやや紫色を帯びる。

白

袋状の葉のつけね

小さな白い花が集まって咲く

切れ込みがある大きな葉

セリ科
花　期：5〜6月
草　丈：1.2m 前後
生育地：川岸、
林のふち
分　布：本州(関東地方以西)〜九州

1つの花は小さくても、外側の花弁は2つに分かれ、傘状に集まる真っ白な花たちの美しさには目を奪われます。

ハナウド

花独活

Heracleum sphondylium var.nipponicum

明るい林のふちや川岸などに生える大形の草。初夏の日差しを浴びて咲く純白の花がよく目立つ。花を近くで見ると、傘のように集まっている花の、外側の花弁が長く伸びて美しい。葉は大きく、あらく切れ込む。この葉が、ウドの葉に似ていることから名がある。

外側の花弁は大きい

花期
1
2
3
4
5
6
7
8
9
10
11
12

実をつけるがむかごでよくふえ、畑などでは困りもの

実は緑色

葉柄についたむかご

サトイモ科
花　期：5〜8月
草　丈：20〜40㎝
生育地：草地、畑、土手
分　布：北海道〜九州

陽春

カラスビシャク

烏柄杓

Pinellia ternata

仏炎苞は濃紫色のものもある

変わった形の花だが、直立する花茎は仏炎苞（ぶつえんほう）と呼ばれ、筒状に合わさった中に雄花の集まり、雌花の集まりがある。雄花の集まりの先はひも状になって（付属体）仏炎苞の外に出ている。葉は3つに分かれ、葉のつけ根や葉柄（ようへい）にむかごをつけ、根は薬用にされる。

緑

葉は深く切れ込む

長い部分が目立つ実

秋には葉が色づいて美しい

フウロソウ科
花　期：5〜9月
草　丈：50cm前後
生育地：道端、草地、空き地
原　産：北アメリカ

アメリカフウロ

Geranium carolinianum

畑の害草ですが、花色は穏やかで、冬に色づく葉も美しく、僕は嫌いにはなれません。

道端などで見かける。昭和のはじめ頃に確認された帰化植物で、本州から沖縄まで分布を広げている。茎は基部からよく枝分かれして、ななめに伸びる。葉は手のひら形で深く切れ込み、花は小さい。実は、細い嘴（くちばし）のように突き出した部分が目立つ。

花は淡いピンク色

花期
1
2
3
4
5
6
7
8
9
10
11
12

陽春

田んぼの雑草としてよく見られる

全体に細いヒメスイバ

タデ科
花　期：5〜8月
草　丈：70㎝前後
生育地：田の畦、道端
分　布：北海道〜九州

スイバ

酸い葉

Rumex acetosa

雄の株と雌の株があります。雌の花の穂は赤っぽく、雄の花の穂はやや黄色味を帯びています。

雌花。紅紫色の雌しべが目立つ

水田の周辺などでよく見られる。茎や葉が酸っぱいのでスイバ。芽立ちはスカンポと呼び食べられる。ギシギシ類（p.195）とよく似ているが、スイバは葉の基部が矢じり形にとがり、ギシギシはとがらない。ヒメスイバは市街地の道端などでも見られ、全体に小さい。

赤

緑

オッタチカタバミ

カタバミ科
花　期：5〜7月
草　丈：8cm前後
生育地：道端、草地、空き地
分　布：北海道〜沖縄

地面を這うように広がり、花も葉も夕方には閉じる

カタバミ

傍食

Oxalis corniculata

シロツメクサ（p.151）と同じ三つ葉ですが、カタバミの葉には斑がなくて形も違いハート形です。

身近な所でふつうに見られる小さな草で、冬でも日当たりのよい所では花を咲かせている。葉が赤茶色のものもあり、アカカタバミという。最近ではカタバミよりも茎が立ち上がるオッタチカタバミという帰化種がふえている。またこれらとは別に園芸種が多数ある。

アカカタバミ。葉の色は変化も多い

花期
1
2
3
4
5
6
7
8
9
10
11
12

陽春

ムラサキカタバミ。花の中心部は白っぽい

オオキバナカタバミ

カタバミ科
花　期：5〜7月
草　丈：30cm前後
生育地：庭、道端、草地、空き地
原　産：南アメリカ

ムラサキカタバミ

紫傍食

Oxalis debilis ssp. corymbosa

明るいピンク色の花は美しいのですが、丈夫すぎるためか庭にはあまり植えられません。

紫

桃

イモカタバミ。花の中心が色濃い

道端などでよく見かけるが、もとは観賞用として移入されたもの。今では野生化したものが多い。イモカタバミや、オオキバナカタバミも栽培されるが、いずれも繁殖力が強く、逃げ出したものがよく見られる。これらはオキザリスと呼ばれ、さまざまな種類がある。

ハナカタバミ
花はまるみがあり、濃いピンク色で中心は白い。夏から秋に咲く。

オキザリス・ブラジリエンシス
花は濃いピンク色で中心も色濃い。葉は厚めで春に咲く。

オキザリス・ベルシコロル
蕾のとき、花の外側の波打つ赤いすじが目立つ。秋から春に咲く。

オキザリス・デッペイ
葉は4枚で、四葉のクローバーを思わせ、中央が紫褐色。夏に開花。

小さい花が20〜30個集まりまるい穂になる

コメツブウマゴヤシ

米粒馬肥やし
Medicago lupulina

マメ科
花　期：4〜6月
草　丈：30㎝前後
生育地：海岸、道端、草地
原　産：ヨーロッパ

江戸時代には確認されていた帰化種で茎は地を這うか斜上する。花は小さく実は腎臓形で多数集まってつき、名はこの実を米粒に見立てた。

📷沖縄で撮影。全国に広がる帰化種だが沖縄のものは在来かも？　とのこと。

明治時代に確認されたという帰化植物

コメツブツメクサ

米粒詰草
Trifolium dubium

マメ科
花　期：5〜7月
草　丈：30㎝前後
生育地：道端、草地、土手
原　産：ヨーロッパ

コメツブウマゴヤシに似るが、まるい花の穂はこちらが大きい。同じように地面に広がり群生する。花は終わると下を向き枯れ色になって実になる。

📷小雨のなか河川敷を散策中見かけ、濡れるは覚悟の上撮影開始。

斑入りの葉

斑のない葉

身近でよく見られるが、牧草として栽培もされる

マメ科
花　期：4～9月
草　丈：20㎝前後
生育地：道端、草地、畑地
原　産：ヨーロッパ

シロツメクサ

白詰草

Trifolium repens

牧草として多くの品種があり、花や葉の大きさや斑にも違いがあります。野原のものもそうした違いが見られます。

クローバーの名でも知られる。江戸時代に、外国から送られたガラス器の箱に、詰め物として入っていたことが名の由来。花は多数がまるく集まる。葉は3枚に分かれた三つ葉で、白い斑（ふ）が入るがないものもある。子供が花輪をつくるなど、草花遊びにも欠かせない。

蝶形の花が多数集まる

花期

1
2
3
4
5
6
7
8
9
10
11
12

陽春

葉や茎は柔らかい毛が多く、手ざわりがよい

葉は斑が入る

早春に出てきた葉

マメ科
花　期：5〜8月
草　丈：40cm前後
生育地：道端、草地、畑地
原　産：ヨーロッパ

ムラサキツメクサ

紫詰草

Trifolium pratense

南向きの草地では冬でも葉が枯れずに残っていて、花が咲いている株もあり目を楽しませてくれます。

紫

桃

小さい花が集まった花の穂

草地や空き地で見かける。シロツメクサに似ているが、花の穂が大きく色はピンク色。全体に毛が多く、茎は立ち上がる。葉は3枚の三つ葉で、白い斑(ふ)が入る。明治時代に渡来し、牧草として栽培されていたものが各地に広がった。アカツメクサともいう。

ビロードクサフジ

花は花柄の片側にかたよってつく

マメ科
花　期：5〜8月
草　丈：つる性
生育地：道端、草地、畑地
原　産：ヨーロッパ、西アジア

帰化植物の1つですが、花は紫色で先が白く、穂になり咲く様子は美しく、好感がもてます。

ナヨクサフジ

なよ草藤

Vicia villosa ssp. varia

緑肥として栽培されるが、野生化したものが道端などで見られる。茎はつる性でほかのものに寄りかかって伸びる。花は細長い筒状で、穂状(すいじょう)に多数つく。よく似ているビロードクサフジは、茎に長い毛が多い。同じように緑肥に利用され、野生化もしている。

花の先端は白っぽい

花期
1
2
3
4
5
6
7
8
9
10
11
12

陽春

花色も豊富でノボリフジ、ハウチワマメとも呼ばれる

カサバルピナス

マメ科
花　期：5〜6月
草　丈：40〜120㎝
生育地：花壇、庭
原　産：北アメリカ、地中海沿岸

ルピナス

ノボリフジ
Lupinus

ラッセルルピナスの原種はワシントンルピナスといいます。カサバルピナスは別種で葉が傘のようです。

青
紫
赤
桃
白
黄

マメ科特有の花が多数つく

花の穂は大きく、園芸草花のなかでも壮大な印象がある。この大きな花穂（かすい）のラッセルルピナスのほか、鉢植え用に小さく改良されたものや、全体に毛があるカサバルピナスなどがある。群植されている様子は壮観で、北海道には観光向けの花畑もある。

葉は２枚が一対につく

マメ科
花　期：5〜6月
草　丈：つる性
生育地：花壇、庭
原　産：シチリア島（イタリア）

スイートピーは英名で、甘い香りから

スイートピー

ジャコウレンリソウ

Lathyrus odoratus

花は、ひらひらと蝶が舞うような形で香りがあり、切り花にもされる。庭先に、支柱で仕立てられて咲いているものも見かける。巻きひげでからみついて伸びるが、鉢植え用の丈の低い品種もある。香りがあることから、別名はジャコウレンリソウ。

淡紫色の品種

花期
1
2
3
4
5
6
7
8
9
10
11
12

花は花弁と萼片が交互につく。また色も違い、とても華やか

八重咲きの品種

花弁も萼も同色の品種

キンポウゲ科
花　期：5～6月
草　丈：50㎝前後
生育地：花壇、鉢植え
原　産：ヨーロッパ、シベリア

陽春

セイヨウオダマキ

西洋苧環

Aquilegia

青
紫
赤
桃
白
黄

日本に自生するヤマオダマキ

カラフルな色合いと、花弁の後方が長く突き出て距(きょ)になる変わった形で目を引く。日本にも自生種はあるが、セイヨウオダマキはヨーロッパ原産で栽培の歴史も長い。しかし最近は北アメリカのオダマキとの交配種が主流で、花も大きく色もさまざまなものが見られる。

花期
1
2
3
4
5
6
7
8
9
10
11
12

赤色の品種

ピンク色の品種

キンポウゲ科
花　期：4〜6月
草　丈：30㎝前後
生育地：花壇、庭
原　産：ヨーロッパ、西アジア

品種「ゴールドコイン」。花壇をおおうように咲く

陽春

ラナンキュラス

ハナキンポウゲ

Ranunculus

大輪で八重咲きのラナンキュラスは別名ハナキンポウゲ。ゴールドコインなどは宿根ラナンキュラスといいます。

花壇や鉢植えで見かける。大輪で、花びらが多数重なる品種が多いが、最近では、茎が這う宿根ラナンキュラスも見られる。花は小さいが八重咲きでこんもりと咲き、グランドカバーに利用される。野草のウマノアシガタ(p.100)やケキツネノボタン(p.99)も同属の仲間。

花は小さいが八重咲き

紫
赤
桃
白
黄

花期
1
2
3
4
5
6
7
8
9
10
11
12

地面近くに葉があり、上の方に花がたくさん咲く

葉は斑があり、毛が多い

ユキノシタ科
花　期：5〜6月
草　丈：25㎝前後
生育地：庭、石垣、山地の湿った所
分　布：本州〜九州

陽春

ユキノシタ

雪の下

Saxifraga stolonifera

葉は天ぷらなどで食べられます。また薬効もあり葉を患部に貼ると虫さされや火傷などに効くといわれています。

花は下側の花弁２枚が大きい

白

湿った所に生え、山間の沢沿いなどで見られるが、庭などの半日陰の場所に植えられたり、石垣などでも見かける。横に這う枝を伸ばしてふえ、葉が地面をおおうように広がる。花は変わった形だが、上３枚の花弁に濃いピンクの斑点があり、よく見ると美しい。

花期
1
2
3
4
5
6
7
8
9
10
11
12

白花品種

葉の元は茎を抱く

ナデシコ科
花　期：5〜7月
草　丈：60㎝前後
生育地：庭、花壇
原　産：南ヨーロッパ

全体が白っぽい緑色のなかで、色濃い花は浮き立つ

陽春

花壇の一角で見かける鮮やかな花色と白い毛でおおわれた茎や葉は個性的で、ひときわ目を引きます。

スイセンノウ

酔仙翁

Silene coronaria

庭や花壇で見かける。茎や葉は白い毛でおおわれ、全体が白っぽく、印象的な草花。その様子からフランネルソウともいい、リクニスとも呼ばれる。花は紅紫色で、白緑色の葉とのコントラストが美しい。白花の品種もある。水はけのよい乾燥した所でよく育つ。

紫
赤
白

花は花弁がやや垂れる

花期

1
2
3
4
5
6
7
8
9
10
11
12

茎や葉に毛はなく白っぽい緑色

品種「玉咲き小町草」

春の芽吹き

ナデシコ科
花　期：5～6月
草　丈：40㎝前後
生育地：庭、道端、
　　　　河原、海岸
原　産：ヨーロッパ

陽春

ムシトリナデシコ

虫捕り撫子

Silene armeria

墓地の供花のこぼれ種から育つのか、お墓のまわりに花が咲いていることがあります。

紫
桃
白

花は筒部分が長い

江戸時代末期に渡来したとされる園芸種。茎の節の下から粘液を出し、虫がくっつくので名があるが、食虫植物ではない。丈夫な草花で、河原などで野生化したものが見られるが、品種もあり、まるく咲くものや白花もある。別名コマチソウ、単にシレネともいわれる。

キンラン

金蘭

Cephalanthera falcata

ラン科
花　期：4〜5月
草　丈：20〜70㎝
生育地：野山の林の中
分　布：本州〜九州

春の雑木林などで見かける。花はあまり全開しないが下側花弁に赤い筋がある。一時は数が減ったが保護もあり最近は見られるようになった。

花は上向きに咲くが半開状態のことが多い

近場の雑木林でよく見かけますがそれぞれの場所で雰囲気が違います。

ギンラン

銀蘭

Cephalanthera erecta

ラン科
花　期：5〜6月
草　丈：10〜30㎝
生育地：野山の林の中
分　布：本州〜九州

キンランにくらべ丈は低いが、白い清楚な花を咲かせる。花は半開きで蕾のように見え、あまり中が見えない。葉は狭長楕円形で縦筋がある。

林の下でひっそりと咲き見過ごしやすい

雑木林のどこで咲くか覚えていますが、その株に花をつけない年もあります。

花期
1
2
3
4
5
6
7
8
9
10
11
12

花色も葉色も鮮やか

若い実

晩秋の葉

ラン科
花　期：4〜5月
草　丈：60㎝前後
生育地：花壇、庭、山地の湿地
分　布：本州（中南部）〜沖縄

陽春

シラン

紫蘭
Bletilla striata

栽培しやすいため、よく庭に植えられますが、自生地は限られていて、野生のものは絶滅が心配されています。

紫
桃
白

春の庭先を飾る花

庭や公園などではおなじみの花だが、山地の湿った所に生える自生種。花色が鮮やかなランの仲間で、群生していると見ごたえがある。花は紅紫色だが、白花もありシロバナシラン（白花紫蘭）と呼び、また斑入り（ふいり）の葉の品種もある。ともによく植えられる。

花の時期、穂は紫色

イネ科
花　期：4〜6月
果　期：5〜6月
草　丈：50㎝前後
生育地：河原、土手、草地
分　布：北海道〜沖縄

川岸などによく群生し、一面が白く見えることもある

穂は花の時期は地味ですが、種子が熟す頃になるとよく目立ち、風にそよぐ穂は季節の風物詩となります。

チガヤ

茅

Imperata cylindrica var.koenigii

日当たりのよい土手や草はらによく群生している。白い毛が集まった穂を見れば、チガヤとわかるが、これは実の時期。花の時期は穂は紫色を帯びる。葉はかたくてざらざらしている。まだ出てくる前の若い花の穂はツバナと呼ばれ、甘味があり、食べられる。

白い毛が目立つ実の時期

花期
1
2
3
4
5
6
7
8
9
10
11
12

細い柄の先に小判のような穂をぶら下げる

実の時期。右下は種子

イネ科
花　期：5～7月
草　丈：50㎝前後
生育地：道端、草地、空き地
原　産：ヨーロッパ

陽春

コバンソウ

小判草

Briza maxima

イネ科のなかでは、コバンソウは小判形の花の穂が個性的で、一度見たらその名に納得。

雄しべ、雌しべが出ている花の穂

海岸近くや道端などで見られるが、園芸店で見ることもある。小判に似た形の花の穂は、小さい花が 10 個前後集まっている。熟すと黄金色になり、形と色からコバンソウ。タワラムギの別名もある。明治時代に輸入されたが野生化し、帰化植物となっている。

黄
緑

アオカモジグサの熟した穂

茎の先の穂が、大きく垂れるのが特徴

イネ科
花　期：5〜7月
草　丈：80㎝前後
生育地：道端、草地、土手
分　布：北海道〜沖縄

カモジグサ

髢草

Elymus tsukushiensis var.transiens

よく似たアオカモジグサは実の時期、長い毛(芒)が反りかえり、カモジグサはまっすぐなままです。

道端などでよく見られる。大きめの草で、茎の先の花の穂は大きく垂れ下がる。茎や葉は白っぽい緑色だが、花の穂はやや紫色がかる。よく似ているアオカモジグサの穂は緑色。子供がこの草で、人形のかもじ（添え髪）をつくって遊んだことから名があるといわれる。

花の穂は芒(のぎ)があり紫色を帯びる

花期
1
2
3
4
5
6
7
8
9
10
11
12

別名はニワヤナギ。全体はやや白っぽい緑色

実は萼に包まれて熟す

タデ科
花　期：6～10月
草　丈：10～40㎝
生育地：道端、荒れ地、畑
分　布：北海道～沖縄

陽春

ミチヤナギ

道柳

Polygonum aviculare ssp.aviculare

白くふちどられた花

踏みつけにも強い草花で、道端などでほこりをかぶっている姿も見る。茎は地を這い、斜上し直立する。花は小さく葉のわきに数個つく。5枚の花弁に見えるものは萼(がく)片(へん)で緑色だが、ふちが白やピンク色なので目につく。葉や茎の様子全体がヤナギの枝を思わせる。

桃
白
緑

ミドリハカタカラクサ

ツユクサ科
花　期：5〜7月
草　丈：ほふく性
生育地：道端、石垣、草地
原　産：南アメリカ

茎は地面を這い節から根を出して広がり、よく実をつける

日当たりのあまりよくないやや湿った所が好きなようです。冬でも葉は緑色です。

ノハカタカラクサ

トキワツユクサ

Tradescantia flumiensis

昭和初期に園芸種として移入された。別名トキワツユクサ。今では野生化して各所で見られる。葉裏や茎は紫褐色を帯び、地面を這って広がる。このほかに全体がやや大きく緑色で、実をつけないミドリハカタカラクサがあり、最近はこちらの方がより多い。

花。萼（がく）は緑色で毛がある

葉は剣状で平たく中央のすじは目立たない

アヤメ

文目

Iris sanguinea

アヤメ科
花　期：5～7月
草　丈：30～60㎝
生育地：花壇、野山の草地
分　布：北海道～九州

野山の草地などに生えるが、古くから栽培され白花や丈が低い品種などもある。外側に垂れる花弁はまるみがあり、網目模様もあって美しい。

山の草地などに自生しますが、花壇などにもよく植えられています。

葉は剣状でアヤメよりも幅が広い

カキツバタ

カオヨバナ

Iris laevigata

アヤメ科
花　期：5～7月
草　丈：40～70㎝
生育地：野山の水辺、庭園
分　布：北海道～九州

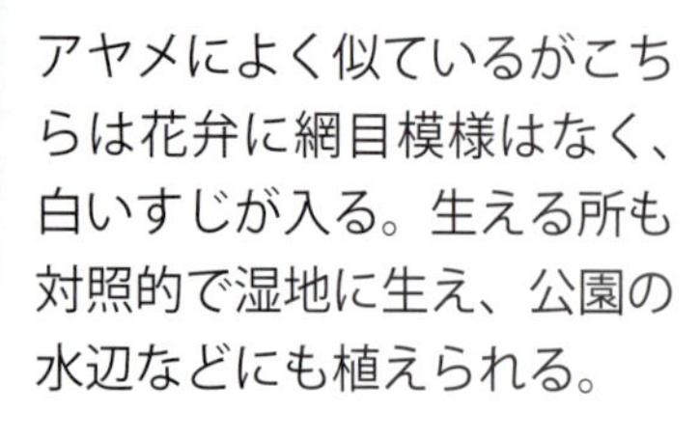

アヤメによく似ているがこちらは花弁に網目模様はなく、白いすじが入る。生える所も対照的で湿地に生え、公園の水辺などにも植えられる。

根本が水に浸かるところに生えますが雨の少ない年はかわいそうです。

ヒオウギアヤメ
高原などに生える自生種。アヤメによく似ているが内側の花弁が小さい。

カキツバタの品種「舞孔雀」
紫に白の縁どりで、花の径も大きく見栄えがする。

イチハツ
アヤメ科の仲間で中国原産。外側の花弁に白いとさか状のヒレがある。

キショウブ
観賞用に輸入されたものだが帰化し、今では各地の水辺で見られる。

花期
1
2
3
4
5
6
7
8
9
10
11
12

花は夕方にはしぼむ一日花だが、次々に咲く

実はまるく、垂れ下がる

葉の基部は重なり合う

アヤメ科
花　期：5〜6月
草　丈：15㎝前後
生育地：道端、芝地、草地
原　産：北アメリカ

陽春

ニワゼキショウ

庭石菖
Sisyrinchium rosulatum

晩春の野原でよく見かけるこの花は、配色もデザインもハイカラで、外国出身の感じがします。

青
紫
桃
白

白地に紫色のすじが入る花

道端や芝生などでよく見られる帰化植物で、明治時代に渡来した。丈は低いがきりっとした草姿で、花色はピンクのほか、色の濃いものや白に近いものなどさまざま。花後のまるい実も目立つ。この仲間はほかに、もう少し大きいものなど、いくつかが帰化している。

ヒルティフォリウム種

クリストフィー種

花壇でもひときわ目を引く、アリウム・ギガンチウム

ヒガンバナ科
花　期：5〜6月
草　丈：1m 前後
生育地：花壇、庭
原　産：ヨーロッパ〜アジア、北アメリカ

アリウム

Allium

藤色の小さな花がたくさん集まってできたボール形の花は大きくてびっくりさせられます。

アリウムはネギの仲間だが、花の美しい種類が栽培され、それらをまとめてアリウムと呼んでいる。大きなボール状の花の穂が目立つギガンチウム種のほか、花の穂がまるくないものや花弁が細長いもの、色も白や黄色など、さまざまな種類がある。

小さな花が集まるギガンチウム種

花期
1
2
3
4
5
6
7
8
9
10
11
12

葉よりも長い花茎が目につく

花後の若い実

葉は白っぽい緑色

ヒガンバナ科
花　期：5～6月
草　丈：50㎝前後
生育地：道端、畑地、空き地
原　産：北アメリカ

陽春

ハタケニラ

畑韮
Nothoscordum gracile

繁殖力の強い帰化植物。最近ふえてきて市街地でもよく見かけるようになってきました。

花はニラよりも大きい

白

明治時代に移入されたといわれ、庭でも見かけるが、道端や畑周辺に野生化したものがよく見られる。畑では強い害草となることもある。葉の様子はニラに似ているが、ニラのような匂いはしない。葉よりも長い花茎を伸ばし、その先に小さい花を数個咲かせる。

花期
1
2
3
4
5
6
7
8
9
10
11
12

葉の基部の葉舌（ようぜつ）

芒のついたままの実

イタリアン・ライグラスの名で栽培される。

イネ科
花　期：5〜7月
草　丈：30〜90㎝
生育地：道端、草地
原　産：ヨーロッパ

陽春

ネズミムギ

鼠麦

Lolium multiflorum

牧草として栽培されるが、全国的に野生化していて道端などでよく見られる。茎は直立するか少し傾き、上方はややジグザグになり、小穂（しょうすい）（小花（しょうか）の集まったもの）を互生につける。小穂には芒（のぎ）があり、ホソムギなどの類似種との見分けに役立つが雑種もある。

雄しべが出ている花

緑

散歩で見かける 野菜の花

ブロッコリー（アブラナ科）

オクラ（アオイ科）

ニラ（ヒガンバナ科）

ゴボウ（キク科）

散歩で見かける 野菜の花

ニガウリ（ウリ科）

サツマイモ（ヒルガオ科）

モロヘイヤ（アオイ科）

アーティチョーク（キク科）

花期
1
2
3
4
5
6
7
8
9
10
11
12

陽春

シンプルな一重咲き。根元の葉はあらく切れ込む

品種「パスタロッチーニ」

ピンク色の品種

キク科
花　期：5～6月（春）
　　　　10～11月（秋）
草　丈：20～50㎝
生育地：花壇、
　　　　鉢植え、庭
原　産：南アフリカ

ガーベラ

オオセンボンヤリ
Gerbera

ボリューム感のある園芸種と違い原種と思われるこのガーベラは野性味満点。撮っていてなぜか親しみを感じました。

青
紫
赤
桃
白
黄

花は周りが舌状花（ぜつじょうか）で中央は筒状花（とうじょうか）

切り花でもよく利用され、花束などを華やかにする園芸種。イギリス、フランスで改良され、とくにオランダでは大輪のものがつくられ主流となっているが、日本でも八重咲きや矮性種（わいせいしゅ）がつくられた。葉は濃緑色で根元に集まり、そこから花茎を伸ばし一花をつける。

水中にある沈水葉

果実期、萼は緑や紫色になる

スイレン科
花　期：6〜10月
草　丈：水深による
生育地：浅い池や沼、小川
分　布：北海道（西南部）〜九州

水上の葉は厚みがあるが、水中の葉は薄くふちが波打つ

野生種を保護栽培している公園で見かけたこの株は居心地良さそうで、微笑みかけながらシャッターを押しました。

コウホネ

河骨

Nuphar japonica

公園の池などにも植えられるが、自生のものは最近は数を減らしている水性植物。水底に白く太い根が横に這い、花は水上に花茎が伸び出て咲く。花弁に見えるものは萼片（がくへん）で5枚、花弁はより小さく、萼の内側に多数ある。葉は水上に出る葉と水中の葉がある。

内側の平たいひも状のものは雄しべ

花期
1
2
3
4
5
6
7
8
9
10
11
12

花壇の一角に群生する花

ハルシャギク

キク科
花　期：6〜9月
草　丈：60㎝前後
生育地：花壇、草地
原　産：北アメリカ

初夏

オオキンケイギク

大金鶏菊

Coreopsis lanceolata

花は黄色。花びらの先が切れ込む

花壇などで見かけるが、あまり整然としていない自然の雰囲気の花壇が多い。学名からコレオプシスと呼ばれることもある。暑さに強く、丈夫で野生化もしていて、高速道路の法面（のりめん）などに群生していることもある。この仲間では花が蛇の目模様のハルシャギクがある。

黄

葉の基部は細くなる

茎は中が詰まっている

花は小さめだが、たくさん咲く

キク科
花　期：6〜10月
草　丈：1m 前後
生育地：道端、畑地、空き地
原　産：北アメリカ

造成地などで一面に生えていることがあります。ハルジオンより花は小さく貧弱な感じです。

ヒメジョオン

姫女苑

Erigeron annuus

江戸時代の末頃に観賞用に移入されたが、今ではいたる所で見られる。ハルジオン（p.41）によく似ていて同じような所に生えるが、花はやや遅めに咲き始める。草姿は全体に細めで花は蕾のときも上を向いている。茎の中が空洞でないこともハルジオンとの違い。

花もハルジオンによく似ている

花期
1
2
3
4
5
6
7
8
9
10
11
12

初夏

地面をおおうように広がり、花は葉のわきから出て咲く

葉は茎に互生する

キキョウ科
花　期：6〜10月
草　丈：12㎝前後
生育地：田の畦など
分　布：北海道〜沖縄

ミゾカクシ

溝隠

Lobelia chinensis

湿った草地や水辺などで、緑色のマットを敷き詰めたような中に咲く花は個性的な美しさを感じます。

桃
白

花は5つに切れ込む変わった形

湿地に生える草花で、田んぼの周りなどで見かける。茎は地面を這って広がる。花の形が印象的で、小さく咲く姿も可愛らしい。溝を隠すほど茂ることから名があるが、田の畦にむしろを敷いたように群がって生えるので、別名はアゼムシロ。

ヤマホタルブクロ

園芸種「白糸蛍袋」

たわんだ茎と花の様子は、別名のチョウチンバナを連想する

キキョウ科
花　期：6〜7月
草　丈：60㎝前後
生育地：庭、草地、野山の林のふち
分　布：北海道（西南部）〜九州

ヤマホタルブクロは山地ばかりではなく、雑木林などでホタルブクロと一緒に生えていることもあります。

ホタルブクロ

蛍袋

Campanula punctata var.punctata

野山の道端に生えるが鉢植えなどにされ、庭先でもよく見られる。花はピンクや白色でふっくらとした長めの釣り鐘形。5つに分かれた萼片（がくへん）の間に上にめくれた部分がある。ヤマホタルブクロにはこれがなく、ここが見分けのポイント。両種のほかに園芸種もある。

花は白いものもある

花期
1
2
3
4
5
6
7
8
9
10
11
12

人がよく歩くような所に、ほかの草と一緒に生える

実は横に2つに割れる

地面に張りつく葉

オオバコ科
花　期：4～9月
草　丈：30㎝前後
生育地：道端、草地、空き地
分　布：北海道～沖縄

初夏

オオバコ

大葉子
Plantago asiatica

種子が運ばれるには人に踏まれることが必要なため、人の踏み込まないような所には生えません。

花。上は雌しべで下は雄しべ

道端、公園、空き地などでよく見かける。葉は根元に集まり、中心から花茎を伸ばし花の穂をつける。名は葉が幅広く大きいことから。踏みつけにも強く、人が通るような所によく生える。種子は靴に付いて運ばれるため、山地でも人が通る山道沿いで見られる。

白
緑

葉はヘラ形

冬を過ごすロゼット

オオバコ科
花　期：6〜8月
草　丈：50cm前後
生育地：道端、草地、空き地
原　産：ヨーロッパ

花の茎は長く伸び、葉は根元に集まってつく

ヘラオオバコ

篦大葉子

Plantago lanceolata

オオバコとは違い踏みつけには強くないかわり、乾燥には強いので荒れ地や河川敷、道端などでよく見かけます。

道端や空き地でよく見られる。名のとおり葉はヘラ形で、５本のすじが目立つ。前ページのオオバコより草丈は高く、花の穂をとりまく雄しべが、白いリングのように見える。江戸時代の末頃に入ったといわれる帰化植物で、今では全国的に広がっている。

花。白い雄しべが目立つ

花期
1
2
3
4
5
6
7
8
9
10
11
12

花色は赤のほか、ピンク、紫、黄色、白など多彩

ホソバウンラン

オオバコ科
花　期：4〜7月
草　丈：30㎝前後
生育地：花壇、庭
原　産：北アフリカ

初夏

リナリア

Linaria

花の色は鮮やかで花壇ではよく目立ちます。河川敷に園芸種の種子を撒く「ワイルドフラワー」としても見かけます。

青
紫
赤
桃
白
黄

黄色系の品種

花壇やプランターの寄せ植えなどで見られる。花は小さな唇形（しんけい）で穂になって咲く。ヒメキンギョソウと呼ばれる草丈の低いものや、丈が 90 ㎝にもなるプルプレア種などがある。ホソバウンランもこの仲間で、栽培されていたが、今は野生化したものを見かける。

蕾は色づいている

茎につく葉

アカバナ科
花　期：5～10月
草　丈：1m 前後
生育地：花壇
原　産：北アメリカ

見かけよりも丈夫で、ヤマモモソウの別名もある

ガウラ

ハクチョウソウ

Oenothera lindheimeri

白花のガウラも蕾は赤みがあるので花壇を遠くから見ると、ピンク色に霞んだようで綺麗です。

花壇で見かけることが多い。白い花の形が蝶に似ていることからハクチョウソウと呼ばれる。細長い茎の先にまばらに花をつけ、一日花だが次々に咲き、春から秋まで絶え間なく花を咲かせる。茎はたよりなげにたわむので、群生している様子は全体がやさしい雰囲気。

花色は白のほか淡桃色もある

花期
1
2
3
4
5
6
7
8
9
10
11
12

早朝、まだ咲いていた花

茎につく葉

冬を過ごすロゼット

アカバナ科
花　期：6〜9月
草　丈：1m 前後
生育地：道端、空き地
原　産：北アメリカ

初夏

アレチマツヨイグサ

荒地待宵草
Oenothera parviflora

晩秋、寒くなっても花が見られ、その時期の花は昼になってもなかなかしぼみません。

メマツヨイグサ

荒れ地や空き地で見かける。明治時代に渡来した帰化植物で、今ではマツヨイグサの仲間のなかでは最もよく見られる。花は夕方から咲き、翌朝頃にはしぼむ。花弁の間にすき間がないものを、メマツヨイグサとして分ける考えもあるが、区別はなかなかむずかしい。

黄

マツヨイグサ
花の色は濃黄色で、花がしぼんだ後花びらは赤みを帯びる。

オオマツヨイグサ
この仲間のなかでは最も大きく、花も大きい。花はしぼんでも赤くならない。

コマツヨイグサ
海岸の砂地などに多い。花は小さく、茎は地を這って広がる。

エノテラ・アフリカンサン
マツヨイグサの仲間の園芸種。花は小さめだが、花壇などに植えられる。

花色は白やピンクで花弁は4枚

ヒルザキツキミソウ

昼咲月見草

Oenothera speciosa

アカバナ科
花　期：5〜7月
草　丈：50cm前後
生育地：庭、空き地
原　産：北アメリカ

大正時代に渡来。庭や花壇に植えられるが野生化したものも見られる。マツヨイグサ（p.187）の仲間で、夜咲くものが多いなか昼にも咲いている。

ピンク色の花のものをモモイロヒルザキツキミソウと呼ぶこともあります。

初夏

ユウゲショウ

夕化粧

Oenothera rosea

アカバナ科
花　期：5〜9月
草　丈：40cm前後
生育地：道端、草地、空き地
原　産：熱帯アメリカ

明治時代に観賞用として導入されたが、今では道端などでも見られる。花は小さめだが濃いピンク色で目を引く。アカバナユウゲショウともいう。

花弁は4枚。空き地などによく群生している

桃

夕化粧とはいっても、午後のまだ明るいうちに開花します。

花期
1
2
3
4
5
6
7
8
9
10
11
12

花後、枯れた状態

種子はとても小さい

ハマウツボ科
花　期：5〜6月
草　丈：30cm前後
生育地：土手、草地
原　産：ヨーロッパ

ムラサキツメクサに寄生して、草むらに生えている

初夏

人の生活圏でよく見かけ、たくましい印象があります。「ヤセ」という名はあまり似あわない感じがします。

ヤセウツボ

痩靫

Orobanche minor

葉緑素のない寄生植物で全体の様子はほかの草とは違う雰囲気。マメ科のシロツメクサ（p.151）などに寄生するが、キク科やセリ科の植物にも寄生する。関東地方にも多い帰化植物で、最近分布を広げている。「ウツボ」は花穂（かすい）の形が矢を入れる靫（うつぼ）に似ていることから。

花は筒形で淡紫色のすじがある

紫
白
緑

名の由来は、花の形からとも実の形からともいわれる

白花のゼニアオイ

コモンマロウの花

アオイ科
花　期：6〜7月
草　丈：1m 前後
生育地：庭、空き地、道端
原　産：南ヨーロッパ

ゼニアオイ

銭葵

Malva mauritiana

ハーブのコモンマロウ（ウスベニアオイ）は同じ仲間でよく似ています。ゼニアオイも薬効がある薬用植物です。

花は濃紫色のすじがある

江戸時代にはすでに栽培されていた園芸植物で、庭などでよく見られる。こぼれた種子でよくふえるので、空き地などで野生化もしている。花は葉のつけねに数個ずつつき、上へ咲き上がっていく。園芸的な品種はないが、ときに白花がある。

花期
1
2
3
4
5
6
7
8
9
10
11
12

葉は5つに切れ込む

実は平たく種子も平たい

アオイ科
花　期：6～8月
草　丈：1.8m前後
生育地：庭、畑地、道端
原　産：小アジア

道端に群生する花は遠目にも目を引く

初夏

英名にならいホリホックとも呼びます。彩り鮮やかに咲く様子は豪華です。

タチアオイ

立葵

Alcea rosea

昔から庭などによく植えられ、初夏を感じさせる花でもある。丈夫で育てやすく、茎は高く伸び、大形の花を穂状（すいじょう）に多数咲かせる。花は花弁が 5 枚の一重だが、二重や八重咲きもあり、花色もピンク、赤、黄、白など多彩。鉢植えに向く矮性（わいせい）の品種もある。

花弁が切れ込んだ品種

紫
赤
桃
白
黄

小さい花が穂になって多数咲く

下の方で茂る葉

ユキノシタ科
花　期：6〜7月
草　丈：70㎝前後
生育地：花壇、庭
原　産：中国、日本

アスチルベ

Astilbe

日本に自生するアスチルベの仲間としてはチダケサシがあります。淡いピンク色の花で山や野の草地に生えます。

白花品種

ドイツで改良された園芸植物で、品種もあるが、総称としてアスチルベと呼ばれる。日本に自生するものと中国原産種との交雑によってつくられた。花の穂は全体にふんわりした感じで、小さい花が多数集まって咲く。花色も多く、鉢植え用の矮性(わいせい)の品種もある。

八重咲きのドクダミ

葉が斑入りのもの

ドクダミ科
花　期：6〜7月
草　丈：30㎝前後
生育地：道端、草地、庭
分　布：本州〜沖縄

花は穂の部分。白い花弁に見えるものは苞葉(ほうよう)の変化したもの

ドクダミ

蕺草

Houttuynia cordata

子供の頃は日陰に咲く暗い花の印象でしたが、よく見ると美しく、最近は好きになりました。

道端や庭などの、半日陰の湿った場所でよく見かける。臭いが強いが、はれものや切り傷、駆虫などに薬効が多く、十薬(じゅうやく)ともいわれ民間薬として使われてきた。花はシンプルで清楚な白色。ときに八重咲きのものがあり、葉が斑(ふ)入りのものなど園芸品種もある。

花には花弁はない

水辺に涼しげな群落をつくる。別名はカタシログサ

上を向く若い実

花の穂が出る前の葉

ドクダミ科
花　期：6〜8月
草　丈：80cm前後
生育地：池や沼などの水辺、湿地
分　布：本州〜沖縄

ハンゲショウ

半夏生

Saururus chinensis

白い葉はよく目立ち、水辺を歩いていると対岸にあってもすぐわかり、遠まわりしてでも見に行きます。

花に花弁はなく花の穂は垂れる

水辺で見られ、花が咲く頃、花近くの葉は白くなりよく目立つ。この葉が地味な花に代わって昆虫を呼び寄せる。花は小さく、穂になってつく。名は、半夏生（はんげしょう）（7月初旬）の頃に咲くため。また葉が半分白くなることから「半化粧」とも書く。花が終わると葉は緑色に戻る。

ギシギシ

羊蹄

Rumex japonicus

タデ科
花　期：4〜5月
草　丈：40〜100cm
生育地：道端、草地、田畑の畦
分　布：北海道〜沖縄

やや湿った所に生え、葉は長楕円形でふちは大きく波打つ。花は緑色で小さく多数が輪生状につく。実はこぶのある3枚の萼片(がくへん)に包まれる。

○は実。萼片には不規則な鋸歯(きょし)がある

この仲間に出会うと何ギシギシか気になり、ルーペで萼片を見てしまいます。

エゾノギシギシ

蝦夷の羊蹄

Rumex obtusifolius

タデ科
花　期：5〜7月
草　丈：50〜120cm
生育地：道端、草地、田畑の畦
原　産：ヨーロッパ

ギシギシに比べ葉は大きく、中央脈が赤みを帯びることが多い。実はギシギシに似るが萼片(がくへん)に刺状の突起がある。北海道で確認された帰化植物。

○は実。ひれ状の萼片に刺のような突起がある

壮大な株が多く近づいて観察していると大きな外国人に圧倒される気分です。

初夏

花期

1
2
3
4
5
6
7
8
9
10
11
12

初夏

芝生で咲く花

実もねじれて並ぶ

ラン科
花　期：5〜8月
草　丈：20cm前後
生育地：草地、芝地
分　布：北海道〜九州

ネジバナ

振花

Spiranthes sinensis var. amoena

花を1つ1つ見ていくと、右巻き、左巻きの比率は同じぐらいで、左巻きがつむじ曲がりというわけではなさそうです。

日当たりのよい芝生や草地などに咲くランの仲間。花茎の上部に、花をらせん状につけるのでこの名がある。らせん状のねじれは右巻き、左巻きのどちらもある。花はふつう淡紅色だが、淡色や白い花のものもあり、葉は根元に数枚つく。モジズリともいう。

桃
白

花はねじれて咲く

ナガエミクリ

いが栗のような実は、さらに小さな実が集まったもの

ガマ科
花　期：6〜8月
草　丈：80cm前後
生育地：浅い池や沼、溝など
分　布：北海道〜九州

ミクリ

実栗

Sparganium erectum

水質を選ぶ植物で、ドブ川だったような所でも、水質がよくなると見かけるようになります。

水中に生える草で、溝や池、沼などで見られる。茎の先は枝分かれし、1本の枝の上方に雄性(ゆうせい)の花、下方に雌性(しせい)の花をつける。ナガエミクリは全体に小さく、茎は枝分かれせず、水の流れのあるような所に多い。名は、実の形がいが栗を思わせることからついた。

小さい雌花が集まった雌性の花

花期
1
2
3
4
5
6
7
8
9
10
11
12

初夏

水辺に咲くオランダカイウ

花が黄色のキバナカイウ

サトイモ科
花　期：5〜7月
草　丈：1m 前後
生育地：庭、鉢植え
原　産：南アフリカ

カラー

オランダカイウ
Zantedeschia

小川のふちで見かけるオランダカイウは、昔からその場所に生えているような様子で風景になじんでいます。

紫
赤
桃
白
黄

白い苞葉の中の穂に花がつく

大きな葉と、ろうと状の花が特徴だが、花に見えるものは仏炎苞（ぶつえんほう）という苞葉（ほうよう）で、本来の花はこの中にある。湿地を好むものと、鉢植えなどに向くものがあり、色はピンクや黄色もある。切り花などにもされるが湿地性で代表的な白花種は、水辺などで野生化もしている。

花後も花を包む苞葉（ほうよう）は残る

葉は柔らかい

ツユクサ科
花　期：6～9月
草　丈：40㎝前後
生育地：道端、草地、空き地
分　布：北海道～沖縄

日向に咲くが、半日陰のような所にも咲く

ツユクサ

露草

Commelina communis

雄しべが６本のうち役にたつのは２本で、４本は装飾のためのもの。青い花びらとの組み合わせは心憎いほどです。

草地や道端でよく見られ、身近にある草花だが、花が早朝に咲き午後にはしぼむため、葉だけの状態のことも多い。花は花弁が３枚だが、青く大きい２枚が目立ち１枚は白く小さい。この花の汁を布にこすりつけて染めたことから、古くはツキクサと呼ばれた。

花は雄しべがよく目立つ

花期
1
2
3
4
5
6
7
8
9
10
11
12

花は一日花で午後にはしぼむが、次々に咲く

オオムラサキツユクサ

オオムラサキツユクサ

ツユクサ科
花　期：5〜7月
草　丈：50cm前後
生育地：庭、鉢植え、道端
原　産：北アメリカ

初夏

ムラサキツユクサ

紫露草
Tradescantia ohiensis

雄しべのまわりの毛をルーペで見ると、細胞が1つずつ並んでいる様子が、数珠玉がつながっているように見えます。

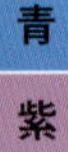
青
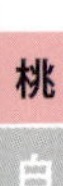
紫
桃
白

花。雄しべには毛が多い

庭園などに植えられる園芸植物。葉はやや多肉質で白っぽい緑色。花は紫色で中心に細い毛が多数ある。一日花だが蕾が多くよく咲く。似ているオオムラサキツユクサは、丈は低めで花の萼片(がくへん)に毛がある。両種とも逃げ出したものが道端などで見られる。

草地で見られるクサイ

イグサ科
花　期：6〜9月
草　丈：50cm前後
生育地：池、沼、水田などの湿地
分　布：北海道〜九州

別名はイまたはトウシンソウ（昔の明かりの燈心にしたことから）

イグサは水辺に生えますが、クサイはそれほど水気のない原っぱで見かけます。

イグサ

藺草

Juncus decipiens

池のふちなどの湿地で見かける。茎はまっすぐに伸び、小さい花がかたまってつく。葉は退化してうろこ状に茎の根元を包む。イグサといえば畳だが、畳表用には、細くて丈が高くなる栽培品種が使われる。同じ仲間のクサイは、草丈が低く、湿った草地に生える。

実の時期の穂

梅雨時のハナショウブ園は、訪れる人も多い

ピンクフロスト(米国系)

葉は中央の脈が目立つ

アヤメ科
花　期：6〜7月
草　丈：1m前後
生育地：花壇、庭、鉢植え
原　産：日本

ハナショウブ

花菖蒲

Iris ensata var. ensata

原種のノハナショウブと様子の違う多くの品種を見ると、昔からの日本の園芸技術の高さを感じます。

千代の春(江戸系)

自生種のノハナショウブから改良された園芸種。江戸時代に改良が進み、原種に近い江戸系、大輪で鉢植えに向く肥後系、花弁が垂れ下がる伊勢系など、地域ごとの系統があり、それぞれに多くの品種がある。花の季節には見事な花姿が庭園などで見られる。

猿踊（さるおどり）（江戸系）

藤袴（ふじばかま）（伊勢系）

初夏

児化粧（ちごげしょう）（肥後系）

ノハナショウブ
自生種で、湿地などに生える。ハナショウブの改良のもとになった。

花期
1
2
3
4
5
6
7
8
9
10
11
12

初夏

花に褐色のすじが入るのも特徴

葉柄は180° ねじれる

ユリズイセン科
花　期：5～6月
草　丈：80cm前後
生育地：庭、鉢植え
原　産：南アメリカ

アルストロメリア

ユリズイセン
Alstromeria

時々見かけるプシタシナ種は花の形はずいぶん違いますが、葉柄がねじれていて同じ仲間だとわかります。

紫
赤
桃
白
黄

プシタシナ種

切り花の印象が強いが、最近は庭や鉢植えでも見られる。花は一見ツツジに似るが別名はユリズイセン。上の花弁に斑（ふ）があり褐色のすじが入るがない品種もある。葉はつけねがねじれていて裏側が表を向いている。以前はヒガンバナ科だったが現在はユリズイセン科。

葉は厚みがある

ムラサキクンシランの名もある

ヒガンバナ科
花　期：6〜8月
草　丈：1m 前後
生育地：花壇、庭
原　産：南アフリカ

アガパンサス

ムラサキクンシラン
Agapanthus africanus

冬には葉が枯れるタイプ、葉の残るタイプ、花が横向きに咲くものや下向きに咲くものなど多くの種類があります。

夏の花壇で見られ、葉の間から細く伸びた花茎の先に、花が多数つく。花は涼しげな青紫色で、その姿とともに印象深い。葉は根元に集まって多数つき、全体のボリュームもある。花色は青紫色のほか白もあり、鉢植え用の丈の低い品種もある。

白花品種

花期

1
2
3
4
5
6
7
8
9
10
11
12

夏

花は柔らかいピンク色

アメリカオニアザミ

セイヨウオニアザミ
Cirsium vulgare

キク科
花　期：6〜9月
草　丈：1m 前後
生育地：道端、草地、空き地
原　産：ヨーロッパ

全体に鋭い刺が多く近づくのもためらわれるアザミの仲間。昭和の頃に確認された帰化種で今は街中でも見られ、駆除の対象にもされている。

花は初夏に咲くのはノアザミと本種ですが刺だらけだったら本種です。

葉は根元に集まり硬い毛が多くざらつく

ブタナ

豚菜
Hypochaeris radicata

キク科
花　期：6〜9月
草　丈：50㎝前後
生育地：道端、草地、空き地
原　産：ヨーロッパ

道端や空き地で見かける。タンポポに似ているが、長く伸びる花茎が特徴で上部は枝分かれする。昭和初期に札幌で確認された帰化植物。

花茎は花の時期でも長く、タンポポが実になる頃の長さなので本種とわかります。

ヒメムカシヨモギ

ヒメムカシヨモギの花

キク科
花　期：7〜10月
草　丈：1.5m 前後
生育地：道端、草地、空き地
原　産：南アメリカ

茎は上部で多数の枝を広げる、特徴のある草姿

オオアレチノギクは花びらは見えず、ヒメムカシヨモギにはごく小さな花びらがついています。

オオアレチノギク

大荒地野菊

Erigeron sumatrensis

空き地などに生え、ほかの雑草類よりも大きくて目立ち、上部に小さな花をつける。全体にくすんだ緑色で趣のある草ではないが、目にするようになると秋が近いと感じる。同じ帰化種でよく似ているヒメムカシヨモギは明るい緑色。花は本種よりも小さい。

花(左)と実。実の時期は冠毛(かんもう)が開く

葉の形から別名クワモドキ。葉は対生につく

オオブタクサ

大豚草

Ambrosia trifida

キク科
花　期：8～9月
草　丈：1～3m
生育地：河原、道端、空き地
原　産：北アメリカ

草とは思えないほど大きくなり河原などに群生する。葉は掌状に大きく切れ込み、雄花は細い穂に多数つき花粉を飛ばす。雌花は穂の元につく。

宅地開発中の空き地一面に茂ったオオブタクサに圧倒されつつ撮りました。

最近はオオブタクサよりも少ない

ブタクサ

豚草

Ambrosia artemisiifolia

キク科
花　期：7～10月
草　丈：1m 前後
生育地：道端、空き地、河原
原　産：北アメリカ

オオブタクサより早く花粉を飛ばし始める。花はオオブタクサに似るが葉は細かく切れ込み、茎の上部で互生、下部で対生するので違いがわかる。

これの花粉は僕のくしゃみのもと。見ただけでそのつらさを思い出します。

タカサブロウ

キク科
花　期：7～9月
草　丈：50㎝前後
生育地：田の畦、溝、道端
原　産：熱帯アメリカ

水田近くの溝に咲いていた

アメリカタカサブロウ

Eclipta alba

アメリカタカサブロウは葉のつけねの下が膨らむ傾向があり、水気の少ない所にも生えます。

水田周辺は雑草が多いが帰化植物はこういう所にも入り込み在来種と入れ替わったり、混生したりしている。本種もその１つ。在来のタカサブロウ（別名モトタカサブロウ）よりもよく見られ、今では全国的に分布する。葉の幅がタカサブロウよりも狭く実も小さい。

花は全体が白い

花期

1
2
3
4
5
6
7
8
9
10
11
12

夏

オオハンゴンソウ。草丈はときに2m以上にもなる

ミツバオオハンゴンソウ

キク科
花　期：7～10月
草　丈：40～200cm
生育地：花壇、庭、草地、河川敷
原　産：北アメリカ

ルドベキア

Rudbeckia

赤

黄

グロリオサ・デージー

公園などで見かけるが、野生化しているものも多い。ルドベキアと呼ばれるものにはいくつかの種類があるが、いずれも花の中心がまるく盛り上がるのが特徴。丈の高いオオハンゴンソウ、大輪のグロリオサ・デージー、小輪のミツバオオハンゴンソウなどがある。

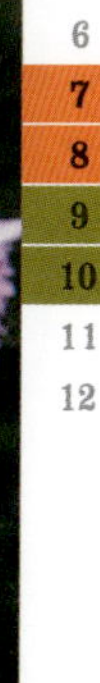

品種「アラ・モード」

品種「桜坂」

デコラ咲きの品種「マタドール」

キク科
花　期：7〜10月
草　丈：1m 前後
生育地：花壇、庭
原　産：メキシコ、南アメリカ

ダリア

テンジクボタン

Dahlia

流行の新しい園芸植物が話題になるなか、農家の裏庭などでダリアを見かけると旧友に再会した気分になります。

江戸時代に渡来し、当初はテンジクボタンと呼ばれたダリアは、いくつもの原種の交配からつくられた園芸種。花の形や色など非常に多くの品種があり、夏から秋まで、花壇を彩る。ゴージャスな大輪種もあるが、小輪の一重咲きや、葉が濃紫色のものもよく見られる。

葉が紫色の「ミッドナイトムーン」

花期
1
2
3
4
5
6
7
8
9
10
11
12

真夏の強い日差しのなかで咲き続ける

サンビタリア

キク科
花　期：7～10月
草　丈：30㎝前後
生育地：花壇、庭
原　産：メキシコ

夏

メランポジウム

Melampodium divaricatum

雰囲気が似ているサンビタリアはメキシカンジニアともいい、花の芯が黄色のタイプもあります。

花は小さく可愛らしい

夏から秋に、花壇で黄色の小さい花を咲かせるキクの仲間。暑さに強く、よく枝を出して広がり、花壇をおおうほど多数の花を咲かせる。同じように、夏から秋に黄色の花を咲かせるサンビタリアは、似ているが草丈は低く、花の中心は黒っぽいものが多い。

黄

赤褐色の品種

実の時期はうなだれる

英名のサンフラワーの名もぴったり

キク科
花　期：7～9月
草　丈：30～300㎝
生育地：花壇、庭、畑地
原　産：北アメリカ

ヒマワリ

向日葵
Helianthus annuus

名の由来は花が太陽に向くからですが、実際は成長期に太陽に向いて動き、花の時期にはほとんど動きません。

よく知られる夏の花の代表で、花壇や、畑のふちなどにも植えられる。丈の高いものでは２ｍを超すものがある。品種も多く、丈の低い鉢植え用のもの、花粉の出ない切り花向きのもの、また八重咲き品種や、花色が赤褐色のものなど、さまざまある。

八重咲き品種「サン・ゴールド」

全体の白さが目立つ。花は黄色で中心は紫褐色

シロタエヒマワリ

ハクモウヒマワリ
Helianthus argophyllus

キク科
花　期：7～10月
草　丈：1.5m前後
生育地：花壇、庭
原　産：北アメリカ

ヒマワリの仲間で茎や葉は毛が密生して白っぽい。花は小さめで直径8cmほど。花期が長く秋に花が少なくなった頃、庭などで見かける。

夏のヒマワリより細身で茎に白い毛があり初秋のヒマワリという感じ。

夏

日当たりのよい川沿いの草地に咲く花

ソクズ

クサニワトコ
Sambucus chinensis

ガマズミ科
花　期：7～8月
草　丈：1.2m前後
生育地：道端、草地、空き地
分　布：本州～九州

全体は大きいが花は小さく、茎の先に平たい穂になって多数つく。花に混じって蜜をためた黄色い腺体(せんたい)があり虫を呼ぶが実はたくさんはできない。

群生していることが多く花はよく目立ち遠くからでも見つけられます。

フレンチ・マリーゴールド

アフリカン・マリーゴールド。センジュギクの名もある

キク科
花　期：6～10月
草　丈：30～120㎝
生育地：花壇、庭
原　産：メキシコ、中央アメリカ

マリーゴールド

センジュギク、マンジュギク

Tagetes

葉に触れると薬効のありそうな香りがします。しかしその香りはあまり好きになれません。

春から秋まで花期が長く、花壇の代表的な存在でもある。草丈が高いアフリカン・マリーゴールドは、大輪の花がまるくこんもりと咲く。丈が低いフレンチ・マリーゴールドは、花は小さいが多数咲き、土中の線虫駆除のため、畑にも植えられる。

アフリカン・マリーゴールド

根は去痰などの薬効があり、漢方で利用される

咲きはじめの白花の品種

茎の葉

キキョウ科
花　期：7～9月
草　丈：80㎝前後
生育地：花壇、庭、野山の草原
分　布：北海道～九州

キキョウ

桔梗
Platycodon grandiflorus

花は咲きはじめは雄しべの時期で、後に雌しべの時期となります。

草原などに生える草花で、山上憶良(やまのうえのおくら)が詠んだ秋の七草の「朝貌(あさがほ)の花」はキキョウといわれる。秋の花のイメージだが花期は意外に早い。古くから庭などに植えられ、切り花用に栽培もされていて、野山よりも花壇や花屋の店頭で見ることが多い。

雌しべの時期の花

花後の様子

ロゼット状で冬を越す

ゴマノハグサ科
花　期：8〜9月
草　丈：1.6m前後
生育地：道端、草地、空き地
原　産：ヨーロッパ

下部の葉は大きく、長い花穂が伸び、花が咲く

塔のように伸びる花の穂とビロードのような大きな葉は、圧倒的な存在感があります。

ビロードモウズイカ

天鵞絨毛蕊花

Verbascum thapsus

空き地、河原などに大きな草姿で並んで生えていることがある。花の穂は太く、高く伸び上がりよく目立つ。全体が白い毛におおわれ、雄しべにも毛が多いことから名がある。明治時代に園芸用に導入されたが、今では各地に野生化し、市街地でもふえている。

花。雄しべに毛が多い

花期

1
2
3
4
5
6
7
8
9
10
11
12

茎や葉、葉裏や花柄にも刺があり、さわると痛い

実は黄色に熟す

葉のふちは大きく切れ込む

ナス科
花　期：6〜10月
草　丈：70㎝前後
生育地：道端、草地、空き地
原　産：北アメリカ

夏

ワルナスビ

悪茄子
Solanum carolinense

花はよく目立ちます。しかし地下茎でふえることが多いためか実はあまり見かけません。

紫

花は淡紫色を帯びる

白
黄

道端や畑、荒れ地などで見かける。繁殖力が強く、全体に鋭い刺が多いので、始末が大変なことからこの名がついた。別名オニナスビ。牧草に混じって入った帰化植物で、畑などでは害草として嫌われるが、花はナス科特有の形でなかなか美しい。

イヌビエ

犬稗

Echinochloa crus-galli var.crus-galli

イネ科
花　期：7〜10月
草　丈：80〜120㎝
生育地：道端、田畑、溝のふち
分　布：北海道〜沖縄

湿った所を好む身近な草の一つ。変異が多く、田んぼに出るものは害草として駆除される。葉はざらつき、茎の先の穂の枝に多数の小穂（しょうすい）がつく。

ヒエはイヌビエから栽培化されたといわれる

川沿いの小道で見かけ撮影開始。長靴でないので足元に気を使いました。

ヒメイヌビエ

ひめ犬稗

Echinochloa crus-galli var.praticola

イネ科
花　期：6〜9月
草　丈：40〜60㎝
生育地：道端、草地
分　布：北海道〜沖縄

イヌビエが湿った所に生えるのに対し普通の草地などで見られる。一見同じだが全体が小形で、穂の枝は枝分かれせず小穂に芒（のぎ）はない。

雑木林や公園の草地などでも見られる

雑木林のわきで見かけ観察しはじめると蚊がたくさん集まってきました。

咲き始めは香りが強い。別名はアメリカチョウセンアサガオ

チョウセンアサガオ

ナス科
花　期：8〜9月
草　丈：1m前後
生育地：道端、草地、空き地
原　産：北アメリカ

ケチョウセンアサガオ

毛朝鮮朝顔
Datura wrightii

帰化植物として街角の植え込みの隅などに咲く花を見かけます。

実はまるく、刺がたくさんある

荒れ地や道端で見かける。茎や葉には毛が密生し、花は夕方から開き、翌日の昼頃にはしぼむ。香りが強く上向きに咲くが、実は下向きで鋭い刺がある。華岡青洲の麻酔手術で有名なチョウセンアサガオは、インド原産で茎や葉に毛がない。ともに強い毒性がある。

サフィニア。鉢植えなどで玄関先を飾る

八重咲き品種

カリブラコア

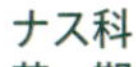

ナス科
花　期：4～10月
草　丈：30㎝前後
生育地：花壇、庭
原　産：南アメリカ

ペチュニア

ツクバネアサガオ

Petunia

サフィニアは種苗会社がつけたペチュニアの品種名で、ほかの会社のものにはウェーブ、クリーピアなどの名があります。

春から秋に、窓辺を華やかに飾っているのをよく見かける。いくつかの種の交配によりつくられた園芸種で、大きさや色、形などに多数の品種がある。大輪でほふく性のサフィニアは人気。また今は別属だが、カリブラコアは小さめの花が多数咲き混植もされる。

花はろうと形

花期
1
2
3
4
5
6
7
8
9
10
11
12

夏

最も一般的なサルビア・スプレンデンス

ブルーサルビア

シソ科
花　期：7～11月
草　丈：20～150㎝
生育地：花壇、庭
原　産：世界の熱帯～温帯

サルビア

青
紫
赤
桃
白
黄

Salvia

花。混色の品種

夏から秋の花壇に欠かせない花。真っ赤な花色が代表的だが、さらに色濃い品種や白、紫などもある。青紫色で花の小さいブルーサルビアもよく植えられる。サルビアの仲間はさまざまあり、ハーブでセージと呼ばれるものもサルビアの仲間。

サルビア・ガラニティカ
別名ガラニティカセージ。丈は高く、濃紫色の花が秋遅くまで咲く。

サルビア・スクラレア
クラリーセージ、オニサルビアともいわれ、アロマセラピーに利用される。

夏

サルビア・ミクロフィラ
別名チェリーセージ。赤い花が印象的で、形も可愛らしい。

サルビア・レウカンサ
別名メキシカンセージ。フェルトのような花が独特でドライフラワーに向く。

花期
1
2
3
4
5
6
7
8
9
10
11
12

淡紅色から白い色の花を穂状に咲かせる

マルバハッカは有毛

シソ科
花　期：6～8月
草　丈：50㎝前後
生育地：花壇、庭、道端
原　産：ヨーロッパ

夏

オランダハッカ

スペアミント

Lavandula stoechas

帰化植物として道端などでも見かけます。葉や茎に毛がなくてハッカの香りがあればマルバハッカではなく本種です。

葉の表面はしわが多く無毛

ハーブの一種で、スペアミントの名で栽培され庭や公園の一角で見かける。さわやかなハッカの香りがあり料理や香料に利用される。ハッカ類は代表的なハーブだが、ほかにもミント類やラベンダー類などさまざまな種類が植えられ、ハーブだけの花壇も見られる。

桃
白

ペニーロイヤルミント
別名メグサハッカ。ハッカの香りがするハーブで、茎の下部は地を這う。

ジンジャーミント
ショウガのような香りのあるハーブ。葉に黄斑があるが、ときにはない。

ラベンダー・ストエカス
フレンチラベンダーともいうハーブ。花穂上に花びら形の苞葉がある。

ラベンダー・デンタータ
フリンジドラベンダーともいうハーブ。葉には細かい切れ込みがある。

学名からフィソステギアとも呼ばれる

花の終わった後の穂

葉は細い

シソ科
花　期：7～9月
草　丈：80㎝前後
生育地：花壇、庭
原　産：北アメリカ

ハナトラノオ

花虎の尾

Physostegia virginiana

名の由来は花の穂が虎の尾に似ていることからということですが、花はボリュームがあり虎の尾のようには見えません。

花盛りのボリュームある花穂

夏から秋に咲くが、秋も遅くまで花は残り、さびしくなった花壇などで見かける。花の穂は直立し、筒形の花を多数つける。茎が四角形なことや、花穂(かすい)の様子からカクトラノオとも呼ばれる。花色は白もあり、斑入り(ふいり)葉(ば)品種もある。大正時代に導入された園芸植物。

花期
1
2
3
4
5
6
7
8
9
10
11
12

茎の刺のような毛

葉は細長い楕円形

シソ科
花　期：7〜8月
草　丈：60㎝前後
生育地：草地、川岸、池の近く
分　布：北海道〜九州

花は輪になって段々につき、外側に向かって開く

夏

ふつう根元が水に浸るようなところに生えていますが、水気の少ない草地でも見かけます。

イヌゴマ

犬胡麻

Stachys aspera var. hispidula

川岸や水田周辺など、湿地で見かける。種子の形がゴマに似ていることから名がついた。花は穂になってつき、唇形(しんけい)で、うすいピンク色。下側の花弁に赤い斑点がある。葉は対生につき、茎は四角形で下向きの刺のような毛があり、さわるとざらざらする。

花は赤い斑点がある

桃
白

品種「ミータン」

原種バーベナ・テネラ

クマツヅラ科
花　期：5～10月
草　丈：20～150㎝
生育地：花壇、庭
原　産：中央アメリカの熱帯、亜熱帯

バーベナ・ペルビアナ。原種の１つで、緋色の花が美しい

バーベナ

ビジョザクラ

Glandularia × hybrida

種類が多く、花色や葉の形もさまざまですが、いずれもサクラに似た小さな花が、茎の先に集まって咲きます。

ビジョザクラとも呼ばれる。地を這うものが多く、花期が長いので花壇のふちどりや鉢植えなどでよく見かける。複数の原種の交配からつくられた園芸種で、葉が細く切れ込むバーベナ・テネラのほか直立性のものもある。色も真紅、ピンク、紫、白、複色など多数。

濃桃色の品種

花期
1
2
3
4
5
6
7
8
9
10
11
12

ヒルガオの花

ヒルガオの花の柄

ヒルガオ科
花　期：6～8月
草　丈：つる性
生育地：道端、草地、空き地
分　布：本州～沖縄

真夏にもさわやかに咲く。あまり実はできない

夏

コヒルガオ

小昼顔

Calystegia hederacea

地下茎でふえることが多いようで、花はよく見かけますが、実はめったに見ません。

日当たりのよい所に生え、市街地の垣根やフェンスにからんでいるのがよく見られる。花はアサガオに似るが、アサガオと違い昼間も咲いている。ヒルガオよりも小さめなのでこの名がある。花の柄に縮れたヒレがあり、ヒルガオにはない。これが大きな違い。

花の柄に縮れたヒレがある

桃

花期
1
2
3
4
5
6
7
8
9
10
11
12

夏

小学校の窓際に仕立てられ、美しい青紫色の花を咲かせる

若い実

ヨウジロアサガオ

ヒルガオ科
花　期：7〜10月
草　丈：つる性
生育地：花壇、庭、鉢植え
原　産：原産地不明

アサガオ

朝顔
Ipomoea nil

最近生まれた品種ヨウジロアサガオはマルバアサガオ(p.232) との交配から生まれたものです。

青
紫
赤
桃
白

朝露にぬれる、うす紫色の花

夏の早朝散歩のときなど、庭先に咲く姿を見かける。小学生の教材にもなり身近な花だが、園芸種としては、大輪のものや変化咲きのものなど、非常に多くの品種がある。古くに薬用として入ったといわれ、園芸の品種改良は江戸時代に大きく進んだ。

若い実

葉はハート形

青色の花が多数咲く様子はよく目立つ

ヒルガオ科
花　期：8～10月
草　丈：つる性
生育地：花壇、庭
原　産：メキシコ、中央アメリカ

ソライロアサガオ

空色朝顔

Ipomoea tricolor

セイヨウアサガオともいい、美しい青色の花を咲かせる。軒下から地面まで、外壁をおおうように多数咲いていることがあるが、その様子は目を引く。白色や絞り模様の入る品種もある。夏にアサガオよりも遅く咲き始めるが、晩秋まで咲いている。

花色は青く、中心が白い品種

花は直径15cm ほど。夜に咲き朝にはしぼむ

ヨルガオ

夜顔

Ipomoea alba

ヒルガオ科
花　期：8〜10月
草　丈：つる性
生育地：花壇、庭
原　産：熱帯アメリカ

花は夕方から夜に咲き香りがある。アサガオより大きく質感もしっかりしていて、花の下の筒部が長い。葉はハート形。鉢植えなどでも見られる。

白い大きな花で、夜に香りを漂わせて咲く様子は妖艶さがあります。

夏

花は直径5〜7cm ほど

マルバアサガオ

丸葉朝顔

Ipomoea purpurea

ヒルガオ科
花　期：8〜9月
草　丈：つる性
生育地：道端、草地、空き地
原　産：熱帯アメリカ

江戸時代に観賞用として渡来したが今では野生化している。花は小さめで葉はハート形。つるをよく伸ばす。花の後、実が下向きになるのも特徴。

花色は青や赤、白地に赤い斑入り(ふい)などがあり横向きに咲きます。

アメリカアサガオ

Ipomoea hederacea

ヒルガオ科
花　期：8～9月
草　丈：つる性
生育地：道端、草地、空き地
原　産：熱帯アメリカ

江戸時代末期に観賞用として渡来。今では野生化したものが植え込みなどで見られる。花は小さく直径3～4cmほど。葉は3つに深く切れ込む。

葉は3つに切れ込むが5つのものもある

萼には淡褐色の毛が生えていて実の時期にもそれが残っています。

マルバルコウ

丸葉縷紅

Ipomoea coccinea

ヒルガオ科
花　期：8～10月
草　丈：つる性
生育地：庭、道端、畑
原　産：熱帯アメリカ

江戸時代末期に渡来したが、帰化植物として畑の害草ともなっている。花は小さく明るい朱色。この仲間にはルコウソウやモミジルコウがある。

花は五角形で雄しべが突き出る

いかにも帰化植物という様子で道端や畑の隅などで見かけます。

花期
1
2
3
4
5
6
7
8
9
10
11
12

夏

その花姿からオイランソウの名もある

白花品種

ハナシノブ科
花　期：6〜9月
草　丈：1m前後
生育地：花壇、庭
原　産：北アメリカ

クサキョウチクトウ

草夾竹桃

Phlox paniculata

紫
赤
桃
白

花の中心が赤く、筒部も色づく品種

フロックスともいい、真夏の強い日差しのなか、花壇などで咲いているのを見かける。茎はまっすぐに立ち、その先に小さめの花が多数、こんもりと咲く。花は一日花だが次々に咲き、長くその姿を保つ。品種も多くあり、花色は赤、紫、ピンク、白などさまざま。

葉の形は変化も多い

秋には実も葉も色づく

花は粉っぽい白色で中心が赤い

アカネ科
花　期：8〜9月
草　丈：つる性
生育地：道端、空き地、林のふち
分　布：北海道〜沖縄

ヘクソカズラ

屁糞蔓

Paederia foetida

白い小さな花の中心部は洒落た赤色でなかなか素敵。この花を見るといつも名前が気の毒になります。

市街地の公園や道端、野山の林縁など、広範囲によく見られる。花や葉をもむといやな臭いがするのでついた名だが、別名はヤイトバナで、花の中心の赤い部分をお灸(きゅう)の痕にたとえたもの。サオトメカズラの名もあり、花の様子はこれらの名の方がふさわしい。

花はなかなか可愛らしい

花期
1
2
3
4
5
6
7
8
9
10
11
12

葉は葉脈が目立ち、厚めでしっかりした質感

実。種子は長い毛で飛ぶ

キョウチクトウ科
花　期：8〜9月
草　丈：つる性
生育地：道端、空き地、林のふち
分　布：北海道〜九州

夏

ガガイモ

蘿藦

Metaplexis japonica

茎や葉を切ると白い液が出てくるのが特徴なので、花がなくても葉をちょっと千切ると確認できます。

花は白い毛が多い

野原、道端の藪、河川敷などに生えるが、公園の植え込みなどで見ることもある。茎や葉を傷つけると白い液が出る。花は白い毛が多く、実は花のわりに大きい。実の中には、長い絹のような毛がついた種子がつまっていて、この毛は綿の代用にもされた。

桃
白

葉柄で他物にからみつく

まだ羽毛状ではない若い実

キンポウゲ科
花　期：8～9月
草　丈：つる性
生育地：林のふち、道端
分　布：北海道～沖縄

花は美しいが茎や葉から出る汁にかぶれを起こす成分がある

センニンソウ

仙人草

Clematis terniflora

クレマチス（p.98）の仲間でつるになって樹木などにからみ、ときにおおうように花を一面に咲かせる。葉は卵形でふちに鋸歯（きょし）はない。花弁はなく白い十字形に開くのは萼片（がくへん）で、雄しべは多数。実の先は細く伸びて羽毛状になり、数個が集まり全体がふわふわに見える。

萼片は4枚で雄しべは多数

花壇や鉢植えで見られるが、薬用にも利用されている

品種「フェアリースター」

路地で逃げ出して咲く花

キョウチクトウ科
花　期：7〜11月
草　丈：40cm前後
生育地：花壇、庭
原　産：マダガスカル

ニチニチソウ

日日草

Catharanthus roseus

沖縄では野生化していて冬でも花を見かけますが、本州の花壇では冬は枯れてしまいます。

品種「ファーストキッス・ルビー」

花期が長く、花壇のほか、道路沿いなどにもよく植えられている。日々、花が絶えずに咲き続けることから名がついた。葉は濃い緑色で光沢があり、花をよく目立たせる。花色は、白で中心が赤いものやその逆の配色のもの、ピンク系のものなどがある。

花期
1
2
3
4
5
6
7
8
9
10
11
12

花は小さく数個が集まる

実も小さい

葉はやや光沢がある。花はオオチドメと違い葉より上に出ない

夏

ウコギ科
花　期：4～10月
草　丈：2cm前後
生育地：道端、草地、庭
分　布：北海道～沖縄、小笠原

チドメグサ

血止草

Hydrocotyle sibthorpioides

やや湿った庭や草地でよく見られる。茎は地面を這い、節から根を出して広がる。葉はまるみがありふちが浅く切れ込む。葉のつけねから短い花茎を出し、その先に小さい花を多数つける。葉をもんで汁を傷口につけると血が止まるということからこの名がついた。

オオチドメ。花は葉より上に出て咲く

黄
緑

花期
1
2
3
4
5
6
7
8
9
10
11
12

夏

白

花は集まって咲き、遠目にも白く、目を引く

春の若い葉

セリ科
花　期：7～8月
草　丈：40㎝前後
生育地：水辺、湿地
分　布：北海道～沖縄

セリ

芹

Oenanthe javanica

田んぼのわきの用水路など、根が水に浸るようなところに生えます。栽培するときも水が欠かせません。

小さい花は花弁が5枚ある

春の七草に数えられ、一番に出てくるセリは春の草という印象。春先の散歩も足を伸ばせば、田や小川などで摘み草できる。花は夏に咲き、白くて小さく、枝の先に傘を広げたような形でつく。この頃には草丈も高くなり、茎も葉もかたくなる。

花期
1
2
3
4
5
6
7
8
9
10
11
12

花後に残った萼(がく)

葉の基部は茎を抱かない

ミソハギ科
花　期：7～8月
草　丈：50～120㎝
生育地：水辺、湿地、花壇、庭
分　布：北海道～九州

まとまって咲く姿は全体にまるみがあり、バランスがよい

夏

ミソハギ

禊萩

Lythrum anceps

水辺で根元が水に浸るような所に生えていますが、花壇や鉢植えでもよく育ちます。

野山の湿地に自生するが、庭などにも植えられる。旧暦のお盆の頃に咲き、盆花(ぼんばな)として利用する所も多く、そのために水田のそばなどに植えられてきた。花は濃いピンク色で、長い穂になって多数咲く。葉は細長い楕円形で、2枚が対生につく。

紫

桃

花は濃いピンク色でしわがある

花期
1
2
3
4
5
6
7
8
9
10
11
12

林のふちで、ほかの物にからまって星のような花を咲かせる

雌花。中心は雌しべ

実は黒緑色に熟す

ウリ科
花　期：8〜10月
草　丈：つる性
生育地：林のふち、
　　　　藪、道端
分　布：北海道〜沖縄

夏

アマチャヅル

甘茶蔓

Gynostemma pentaphyllum

つる植物のなかでは茎も葉も小さな花も風情があり、繊細な感じがして好感が持てます。

道端の藪や林のふちなどで見られる。花は小さく、葉のわきから出た枝につく。葉はヤブカラシ (p.245) の葉に似ているが全体にきゃしゃで、薄くて柔らかい。葉に甘味があるのでこの名があるが、花祭りの甘茶はアジサイの仲間のアマチャからつくられる。

雄花。雄しべは5個

白
緑

花期
1
2
3
4
5
6
7
8
9
10
11
12

雄しべが出ている雄花

実には毛と刺がある

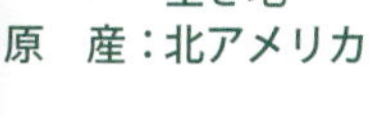

ウリ科
花　期：8〜9月
草　丈：つる性
生育地：河原、畑地、空き地
原　産：北アメリカ

葉は大きく、つけねから伸びた花が、葉の上に出て咲く

夏

はびこるつるに大きな葉。撮影のために近づくと体が葉に埋もれそうで、思わず躊躇してしまう敬遠したい植物の1つです。

アレチウリ

荒地瓜

Sicyos angulatus

河原などで、周りをおおいつくすように広がる様子は目を引く。茎には毛が多く、節から出た巻きひげでほかの物にからみついて伸びる。比較的新しい帰化植物だが、畑などにも発生して問題になっている。名前の由来は文字通り、「荒れ地に生える ウリ」。

まるく集まった雌花

白

緑

花は葉のわきに1個つき、一日でしぼむ

若い実

熟した実。種子が見える

アオイ科
花　期：8〜9月
草　丈：1.5m 前後
生育地：庭、畑地
原　産：北アメリカ

モミジアオイ

紅葉葵

Hibiscus coccineus

青空を背景に夏の陽光のもと、輝くように咲いている花。情熱的な女性を思わせます。

長い雄しべの先に雌しべがある

大きな深紅色の花が美しく、庭などに植えられているのを見かける。草丈は高く、2m に達することもある。花は花弁が 5 枚で、花弁同士の間にすき間がある。葉がカエデ類に似ていることから名がついた。ときに花弁の幅が広く、色も淡い交雑種が見られる。

実は黒く熟す

芽吹きは赤紫色

ブドウ科
花　期：6〜8月
草　丈：つる性
生育地：道端、藪、林のふち
分　布：北海道（西南部）〜沖縄

オレンジ色がポツポツ目立つ花は、よく見られる

ヤブカラシ

薮枯らし
Cayratia japonica

花びらを見ることはあまりありません。朝、開花してしばらくすると花びらと雄しべが落ち、雌花の時期となります。

繁殖力が旺盛で、藪を枯らすほどに繁茂する、ということから名がある。市街地でもよく見られ、刈り込まれた垣根などにもつるを伸ばし、葉を広げる。花は小さく、緑色の花弁は咲くとすぐに落ち、残ったオレンジ色の部分と雌しべが目立つ。

花弁は4枚で雄しべとともに落ちる

花期

1
2
3
4
5
6
7
8
9
10
11
12

巻きひげでからみついて伸び、花や実を風にゆらす

小さな花とふくらんだ実

葉は切れ込みがある

ムクロジ科
花　期：7～8月
草　丈：つる性
生育地：花壇、庭
原　産：北アメリカ南部

夏

フウセンカズラ

風船葛

Cardiospermum halicacabum

沖縄では荒れ地に茂り、風船のような実が沢山できていて、落ちたものは風で転がります。

花は小さく、平開しない

紙風船のようにふくらんだ、まるい実が可愛らしく、よく目立つ。あんどん仕立ての鉢植えのほか、フェンスにからまり、花と実が一緒についているものも見られる。実が茶色になる頃、中の種子は黒く熟し、表面には白いハート形の模様がある。

白

しずく形の実

実はさわるとはじける

ツリフネソウ科
花　期：6〜8月
草　丈：50cm前後
生育地：花壇、庭、畑地
原　産：インド〜中国南部

花色は豊富で、八重咲きもある。ツマベニとも呼ばれる

ホウセンカ

鳳仙花

Impatiens balsamina

熟した実は指でつまむとはじけて種子が飛ぶので、実を見るとつい試したくなってしまいます。

昔からよく植えられているが、畑の隅などに生えて咲いていることもある。花の汁で色水をつくったり、理科の吸水実験に使われたりとなじみ深い植物。茎は太く、葉を密につけ、葉のつけねに花を咲かせる。実は熟すと勢いよくはじけて種子を飛ばす。

花は葉のつけねにつく

花期
1
2
3
4
5
6
7
8
9
10
11
12

夏

葉の下に並んだ赤い実は小さいがよく目立つ

ナガエコミカンソウ

コミカンソウ科
花　期：7〜10月
草　丈：30㎝前後
生育地：道端、畑地
分　布：本州〜沖縄

コミカンソウ

小蜜柑草

Phyllanthus lepidocarpus

実の表面は凹凸が多くてその名のとおり蜜柑のようです。葉は夜になると閉じて眠ります。

上は雄花、下は雌花

道端や畑で見かける。赤みを帯びた茎から出た枝に、葉が規則正しく並ぶ。花は枝の上部に雄花、下部には雌花がつく。実は小さく、表面には小さなコブが多数ありミカンを思わせる。最近ふえてきた帰化種のナガエコミカンソウは、実に柄があり表面は滑らか。

赤
白
黄

ニシキソウ

トウダイグサ科
花　期：6〜9月
草　丈：20㎝前後
生育地：道端、畑地
原　産：北アメリカ

葉には斑があり茎は地面を這うように伸びる

コニシキソウ

小錦草

Euphorbia maculata

葉の斑が目立たないので希少なニシキソウかと思い、実を見ると短毛があり、コニシキソウとわかってがっかり。

明治の中頃に渡来した帰化植物で、身近な所でごくふつうに見られる。茎は地面を這って広がり、葉には赤茶色の斑(ふ)がありよく目立つ。葉のつけねに小さな花が咲き、実と茎にも毛がある。もともと日本に自生するニシキソウは、葉の斑はほとんど目立たない。

よく目立つ茎の毛

茎はななめに立ち上がる。葉は斑がないものが多い

葉は対生する

トウダイグサ科
花　期：6〜10月
草　丈：40㎝前後
生育地：道端、畑地
原　産：北アメリカ

オオニシキソウ

大錦草

Euphorbia nutans

ほかの植物に寄りかかるように茎が伸びますが、這わずに上へと伸びる姿は独特です。

まるいのは若い実で毛がない

道端などで見かける。北関東以西に多い帰化植物。コニシキソウ（p.249）と比べると名のとおりずっと大きく、茎は地を這わず立ち上がる。葉の基部は左右不揃いで裏面は白っぽい。枝の分かれ目や枝先に小さな花をつける。実は滑らかで毛がない。

ショウジョウソウ

トウダイグサ科
花　期：8～9月
草　丈：70㎝前後
生育地：花壇、庭
原　産：北アメリカ

秋の庭に初雪が降ったかと思わせる白と緑の色合い

ハツユキソウ

初雪草

Euphorbia marginata

花は小さく目立たないが、上の方の葉が白くふちどられ、遠目にもその白さが美しい。枝を切ると出る白い汁は有毒なので要注意。この仲間にはほかに葉の基部が朱色に染まるショウジョウソウがある。ともに夏から秋、日が短くなり花芽ができる頃葉も色づいてくる。

花。垂れているのは熟しかけた実

葉は5つに切れ込むものと3つに切れ込むものとがある

紅紫色の花

跳ねて種子を飛ばす実

フウロウソウ科
花　期：7～10月
草　丈：30㎝前後
生育地：草地、道端
分　布：北海道～九州

ゲンノショウコ

現の証拠

Geranium thunbergii

白花

雑木林のふちや道端で見かける。薬草としてよく知られ、腹痛や下痢にすぐに効くことから「現の証拠」の名がついた。茎は横に這い、上部は立ち上がる。花の色は白、ピンク、紅紫色など。実が種子を飛ばした後の形が神輿に似ていることから別名ミコシグサ。

花期
1
2
3
4
5
6
7
8
9
10
11
12

実は茶色の毛が多い

葉は大きく、3枚

マメ科
花　期：7〜9月
草　丈：つる性
生育地：林のふち、空き地
分　布：北海道〜九州

ほかの植物にかぶさるように茂る葉とその間に咲く花

夏

クズ

葛

Pueraria lobata ssp.lobata

日差しの強い夏の午後、道を歩いていて甘い香りを感じることがあります。見回すとクズの花が咲いています。

紫
赤

日当たりのよい土手や道端でよく見られる。秋の七草の1つ。つる植物で、ほかの植物をおおうように茂り、茎や葉に茶色の毛が多い。花は蝶形(ちょうけい)で、穂になり、葉のつけねに上向きにつく。根からは葛粉がつくられるが、今はイモ類からつくられたものが多い。

花は甘い香りがする

花期
1
2
3
4
5
6
7
8
9
10
11
12

夏

ほかの草に埋もれるように咲いている花

小さな葉は奇数枚ある

トウコマツナギ

マメ科
花　期：7〜9月
草　丈：80㎝前後
生育地：野原、土手、林のふち
分　布：本州〜九州

コマツナギ

駒繋ぎ

Indigofera pseudotinctoria

道路の法面の土留めに、外国産の種子を吹きつけるようで、最近コマツナギに似た低木をよく見かけます。

紫

桃

花色は落ち着いた淡紅色

草のように見えるが小低木で、日当たりのよい所に生える。葉のつけねに、淡紅色の花が穂になって咲く。茎は丈夫で、馬がつなげるほどなので「駒繋ぎ」。最近、道路の法面(のりめん)などで、高さが2m以上ある似た花を見るが、中国原産のトウコマツナギと思われる。

かぎ状の刺のある実

葉は大きさが不揃い

バラ科
花　期：7〜10月
草　丈：50㎝前後
生育地：道端、林のふち
分　布：北海道〜九州

花は１㎝ほどだが集まって咲くと花の穂はよく目立つ

キンミズヒキ

金水引

Agrimonia pilosa var. japonica

道端や草地で見られる。黄色い花が細長い穂になってつき、これを金色の水引（みずひき）に見立てて名がついた。葉は、羽状複葉（うじょうふくよう）と呼ぶ数対の小さな葉が並んでつくものだが、それぞれの葉の大きさが不揃いなのが特徴。実にはかぎ状の刺があり、衣服などにつく。

花びらは5枚で雄しべは8〜11本

花期
1
2
3
4
5
6
7
8
9
10
11
12

夏

咲きはじめは濃いピンク色で後に白くなる品種

細長い実

手のひらを広げたような葉

フウチョウソウ科
花　期：7～10月
草　丈：80㎝前後
生育地：花壇、庭
原　産：熱帯アフリカ

クレオメ

セイヨウフウチョウソウ、スイチョウカ
Tarenaya hassleriana

夕方開く花は、暗くなってからが最も美しいので、庭に植える場合、窓辺など夜になっても見やすいところがお勧めです。

白い花の咲く品種

花壇などで見かける。花の様子が、蝶が風に舞うように見えることから、西洋風蝶草（せいようふうちょうそう）ともいわれる。また、咲きはじめは濃いピンク色で、次第に白く変わるものもあることから、酔蝶花（すいちょうか）とも呼ばれる。花は夕方開き、翌日の夕方には散る一日花だが、次々と咲く。

桃
白

すずなりの実

葉は大きく裏面は白い

ケシ科
花　期：6〜8月
草　丈：1.7m前後
生育地：草地、空き地
分　布：本州〜九州

見上げるほど高い茎の上に咲く花

タケニグサ

竹似草
Macleaya cordata

毒草で茎を切るとアルカロイドを含む黄色の汁が出ます。漢方では駆虫、解毒などに薬効があり生薬として使われます。

草地や荒れ地などに生える。背丈を越えるほど大きい草で、全体に粉をふいたように白っぽい。名前は、茎の中が空洞で竹に似ることから「竹似草」、竹と一緒に煮ると、竹が柔らかくなるので「竹煮草」、という2説がある。風の強い時には白い葉裏がよく目立つ。

花には花びらがない

花も葉も大きく茂り、水面が見えないほど

蜂の巣のような実

よく水をはじく大きな葉

ハス科
花　期：7〜8月
草　丈：1m前後（水面上の高さ）
生育地：池、水槽
原　産：インド、イラン、中国

ハス

蓮
Nelumbo nucifera

早朝に開いた花は、開花直後が最も美しく、昼には閉じてしまいます。翌朝また開花、それを繰り返し散るのは4日後です。

古い時代に中国から渡来したといわれる水草。名は蜂巣（はちす）の略で、実の入った花床（かしょう）（花がついていた部分）が蜂の巣に似ていることから。長い花の柄が水上に突き出て咲く姿は美しく、地下茎は蓮根（れんこん）として食用となる。ピンク色や白など、観賞用の多くの品種がある。

花は早朝が最も美しい

ヒツジグサの花と葉

スイレン科
花　期：6〜10月
草　丈：水深による。葉は水面に浮く
生育地：池や沼、鉢
原　産：世界の熱帯、亜熱帯〜温帯

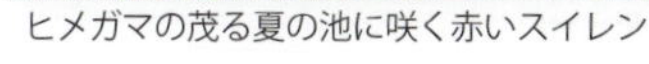

ヒメガマの茂る夏の池に咲く赤いスイレン

花の色や大きさも豊富なスイレンの仲間は種類が多く、開花時間も違いますが、多くは正午頃に咲きます。

スイレン

睡蓮

Nymphaea hybrida

庭園の池などで見られる水生植物。スイレンには温室で育てられる熱帯性種もあるが、ふつう見かけるものは耐寒性のある温帯性種で、多くの品種がある。ヒツジグサは日本に自生するスイレンの仲間で、名前は羊(ひつじ)の刻（午後２時頃）に開花することから。

爽やかなピンク色の花

花期
1
2
3
4
5
6
7
8
9
10
11
12

夏

雄しべがよく目立ち柔らかい色合いで美しい花

葉は無毛で先が切れ込む

キンポウゲ科
花　期：7〜9月
草　丈：1m 前後
生育地：草地、林のふち
分　布：北海道〜九州

アキカラマツ
秋唐松
Thalictrum minus var.hypoleucum

カラマツソウの仲間はほかにもありますが、秋まで咲いているのはアキカラマツだけ。名前の由来もそこからです。

花の中央には雌しべがある

日当たりのよい草地や林縁でふつうに見られる。名は「秋唐松」だが、花は夏に咲きはじめ、秋まで咲き続ける。花には花びらがないが、たくさんある雄しべの色のため、花の穂全体が黄色みを帯びて見え、落ち着いた秋の雰囲気を感じさせる。

白
黄

野原に咲く、淡い色の花

葉は細長い

ナデシコ科
花　期：7〜10月
草　丈：80㎝前後
生育地：草地、
　　　　林のふち
分　布：本州〜九州

初夏に草原で出会った美しいピンク色の花

撫子とは子を撫でるような気持ちで接するほど花が美しいことからで、カワラナデシコは単に撫子とも呼びます。

カワラナデシコ

河原撫子

Dianthus superbus var.longicalycinus

秋の七草の１つだが、花は６月頃から咲きはじめ、夏に最盛期を迎える。とくに河原に多いわけではなく、日当たりのよい草地や斜面で出会うことが多い。花色は濃淡いろいろの変化があるが、花壇などでは、花が大きく、とくに色の濃い園芸品種が見られる。

花壇に咲く色の濃い園芸品種

花壇から出て野原などで咲いていることもある

サボンソウ

シャボンソウ

Saponaria officinalis

ナデシコ科
花　期：7〜8月
草　丈：50㎝前後
生育地：花壇、庭、野原、土手
原　産：ヨーロッパ

やさしい色合いで花壇などで見られる。明治時代に観賞用、薬用として導入され、咳止めなど薬効がある。昔ヨーロッパでは石鹸の代用とされた。

白い花もありますが淡いピンク色のものが多く、あまり濃い色の花はありません。

ムラサキゴテンの名もある

セトクレアセア

ムラサキゴテン

Tradescantia pallida 'Purple Heart'

ツユクサ科
花　期：5〜11月
草　丈：30㎝前後
生育地：花壇、庭
原　産：メキシコ

全体が紫色で印象深い。葉は肉厚で、茎は直立するが這うように広がりもする。現在はトラディスカンティア属になったが以前の属名で呼ばれる。

実は赤くつやがある

葉は無毛でなめらか

夕暮れの暗くなる頃によく目立つ花

ハゼラン科
花　期：8～10月
草　丈：50㎝前後
生育地：草地、道端、鉢植え
原　産：熱帯アメリカ

ハゼラン

サンジソウ、ヨジソウ

Talinum paniculatum

ランの仲間ではなくスベリヒユ科でしたが、新分類では同じ名前のハゼラン科になりました。

鉢植えなどで見かけるが、道端の敷石のすき間に咲いているものもある。明治のはじめ頃に観賞用に移入された園芸植物。葉は多肉で幅広いヘラ形。花は小さくまばらにつき、午後3時頃に咲くので、サンジソウ、ヨジソウとも呼ばれる。赤い実もよく目立つ。

花の直径は6㎜ほどで紫紅色

花期
1
2
3
4
5
6
7
8
9
10
11
12

花壇に混植されていると色合いは華やか

スベリヒユ

スベリヒユ科
花　期：5〜9月
草　丈：ほふく性
生育地：花壇、庭
原　産：原産地不明

夏

ポーチュラカ

ハナスベリヒユ
Portulaca

ポーチュラカは花がたくさん咲きます。野草のスベリヒユは花が咲かないのに種をつくる株もあります。

紫
赤
桃
白
黄

赤と白の複色の花

花壇や鉢植えでよく見かける。次ページのマツバボタンの仲間で、暑さに強く、一日花だが長期間絶えずに咲き続く。別名はハナスベリヒユ。花色も豊富で八重咲きもある。葉は多肉質で細い楕円形。自生種のスベリヒユもこの仲間で、道端などでよく見られる。

八重咲き品種

実は横に割れ種子が出る

葉をマツの葉に、花をボタンにたとえて名前がついた

スベリヒユ科
花　期：6〜9月
草　丈：ほふく性
生育地：花壇、庭
原　産：ブラジル、
アルゼンチン

マツバボタン

松葉牡丹

Portulaca grandiflora

雄しべを鉛筆の先などでつつくと、寄ってくるように動きます。午前中によく動くようです。

古くから植えられ、庭や花壇でよく見かける。茎は地面を這って広がり、葉は細いが多肉質。暑さと乾燥に強いのでヒデリソウともいい、爪で切って挿しておけば根付くのでツメキリソウともいう。近縁のポーチュラカに似ているが、花はより大きく葉の形も違う。

一重の赤花品種

玄関のわきをおおうように咲く花。花嵐山、麗紅の名もある

葉は多肉で細長い

マツバギクの一種

ハマミズナ科
花　期：5〜9月
草　丈：ほふく性
生育地：花壇、庭
原　産：南アフリカ

デロスペルマ・クーペリ

耐寒マツバギク

Delosperma cooperi

耐寒性が強く、冬－10℃になるような屋外で元気に育ちます。

花びらは細く多数つく

庭の石垣などでよく見られる。春に咲くマツバギク類によく似ているが、花は春から秋まで長く咲く。寒さや暑さ、乾燥にも強く、グランドカバーによく利用される。葉は多肉質で細く、光沢のあるキクのような花をつける。耐寒マツバギクとも呼ばれる。

実をつぶすと白い粉が出る

実と蕾

オシロイバナ科
花　期：7〜10月
草　丈：80㎝前後
生育地：道端、空き地、線路沿い
原　産：熱帯アメリカ

花色は濃紅色のほか、色の淡いものや黄色もある

オシロイバナ

白粉花

Mirabilis jalapa

夕暮れに強い香りと共に咲く花で、海岸などでも見られます。

観賞用に移入されたものだが、今では道端などで野生化したものを見ることが多い。花は夕方に咲きはじめて朝にはしぼむが、香りが強くて離れていても花の存在がわかる。実は黒く、つぶすと白い粉（胚乳）が出るが、これをおしろいに見立てて名がついた。

複色の花

花期

1
2
3
4
5
6
7
8
9
10
11
12

夏

アメリカヤマゴボウともいわれる

紅葉した葉と熟した実

ヤマゴボウ科
花　期：6〜10月
草　丈：1.8m前後
生育地：草地、空き地
原　産：北アメリカ

ヨウシュヤマゴボウ

洋種山牛蒡

Phytolacca americana

花の穂の軸はピンク色

空き地や手入れの悪い植え込みなどでも見かける。大形の草で、横に広がるように枝を出す。花の穂は横や下向きに垂れ、小さい花を多数つける。実は黒紫色でつぶれやすく、出た汁に染まるとなかなか落ちない。明治時代に渡来し、各地で雑草化している。

桃
白

斑入り葉の品種

ダンドクの花

カンナ科
花　期：6～9月
草　丈：1m 前後
生育地：花壇、庭
原　産：熱帯アメリカ

大きくあでやかな花弁に見えるものは、雄しべが変化したもの

カンナ

ハナカンナ

Canna

インドなどが原産のダンドクは、沖縄では帰化植物となっていますが、最近東京周辺の草地などでも見かけます。

夏の盛りに大きな草姿で鮮やかな花を咲かせる。カンナは多くの原種があり、それらの交雑から育成されたもので、ハナカンナとも呼ばれる。ダンドクは原種の１つ。江戸時代に渡来したが、今はあまり観賞の対象にされず野生化もしている。

斑(ふ)入りの花

大正時代に確認されたが戦後急速に広まった

シマスズメノヒエ

島雀の稗

Paspalum dilatatum

イネ科
花　期：6〜9月
草　丈：90㎝前後
生育地：道端、草地、空き地
原　産：南アメリカ

草地などから抜き出るように生えているのを見かける。花の穂は横向きで、雄しべ、雌しべが黒紫色で目立つ。牧草として栽培され各地に野生化。

「シマ」を冠した名は帰化種で最初に小笠原の島で確認されたため。

明治時代に移入したとされる帰化植物

コスズメガヤ

小雀茅

Eragrostis minor

イネ科
花　期：7〜11月
草　丈：10〜50㎝
生育地：道端、荒れ地、畑地
原　産：ユーラシア

花の穂はまばらだが、実の時期は全体が白くふんわりして遠目にも目を引く。踏みつけにも強く、アスファルトの隙間からも出て株を広げている。

我が家近くの道路ぎわに生えていて、通りかかるたびに観察していた株です。

花期
1
2
3
4
5
6
7
8
9
10
11
12

メヒシバ

強い日差しにも負けず、踏みつけにも強い

イネ科
花　期：8〜10月
草　丈：50㎝前後
生育地：道端、草地、空き地
分　布：本州〜沖縄

夏

同じイネ科ですがオヒシバはメヒシバの仲間ではありません。

オヒシバ

雄日芝

Eleusine indica

日当たりのよい道端や空き地に生える。丈夫な草で、引っ張ってもなかなかちぎれないことから、チカラグサの名もある。花の穂は、茎の先に放射状に数本出て、小さい花が並んでつく。この形がメヒシバ（雌日芝）に似ているが、太くて強いので「雄日芝」。

米粒のようなものが花で２列に並ぶ

緑

花期
1
2
3
4
5
6
7
8
9
10
11
12

道端にななめに生えるエノコログサ

キンエノコロ

イネ科
花　期：8〜11月
草　丈：50㎝前後
生育地：道端、草地、空き地
分　布：北海道〜沖縄

夏

エノコログサ

狗尾草

Setaria viridis

花の穂にはかたい毛が多い

道端、空き地、畑などでよく見られる。名は花の穂を子犬の尻尾に見立ててついたが、ネコジャラシの名でも親しまれている。この仲間はいくつかあり、キンエノコロは穂の毛が黄色で、全体に金色に見える。エノコログサほど多くないが、野原などで見かける。

緑

光沢のある黒い実

葉の出方が名の由来

アヤメ科
花　期：7～9月
草　丈：80㎝前後
生育地：花壇、庭、山地の草原
分　布：本州～沖縄

茎は枝分かれして、その先に花を咲かせる

ヒオウギ

檜扇

Iris domestica

葉の出方が独特でその形を覚えておけば、花が咲く前でもわかり、開花を待つのが楽しみになります。

山地の草原などに生えるが、草姿の美しさから庭や花壇などにも植えられる。葉は根元から交互に重なって扇を開いたように出る。名もここからついた。花は夕方にはしぼむ一日花。種子は黒く光沢があり、「ぬばたま」と呼ばれ花材にされる。

黄色い花の品種

花期
1
2
3
4
5
6
7
8
9
10
11
12

朱色の花が夏の庭先を彩る

花後の若い実

葉の基部は重なり合う

アヤメ科
花　期：7〜8月
草　丈：80㎝前後
生育地：庭、道端、草地
原　産：熱帯アフリカ

夏

ヒメヒオウギズイセン

姫檜扇水仙

Crocosmia × crocosmiiflora

夏を花全体で表現しているようなこの花は、写真を見ているだけで、暑さを思い出させます。

花は直径3㎝前後

明治時代に観賞用として導入されたが、繁殖力が強く、人家周辺で野生化したものが見られる。夏に葉の間から花茎を伸ばし、朱色の花を下向きに咲かせる。葉のつき方がヒオウギ（p.273）に似ているのでこの名があるが、モントブレチア、クロコスミアとも呼ばれる。

赤
黄

春咲き品種

秋まで咲く品種

アヤメ科
花　期：7〜9月(夏咲き)
　　　　3〜5月(春咲き)
草　丈：90㎝前後
生育地：花壇、庭
原　産：熱帯・南アフリカ

花茎をまっすぐに伸ばし、大きめの花を下から咲かせていく

グラジオラス

トウショウブ

Gladiolus

庭や花壇で見かける。多くの原種の交配からつくられた園芸植物で、花の大きさや色も豊富にある。名はラテン語で「小剣」の意味で、その葉の形にちなむ。夏咲き系のものは花も大きく、豪華さがあり、春咲き系は全体に細く、清楚な雰囲気がある。

夏咲き品種

花期
1
2
3
4
5
6
7
8
9
10
11
12

夏

葉の中から花茎を伸ばして咲く。地下に大きな球根がある

ブルビスペルマム種

ヒガンバナ科
花　期：7〜9月
草　丈：1m前後
生育地：花壇、庭
原　産：南アフリカ、インド

クリナム

Crinum

自生するハマユウ(p.281)の仲間で、南アフリカ原産などのものがあり、それらからつくられた園芸品種があります。

花はユリに似ている

全体に大形で、公園などに植えられその大きな姿には目を引かれる。花茎の先にユリに似た花が横向きに咲く。花色などにより品種は多数あるが、アフリカハマユウと呼ばれるブルビスペルマム種は白やピンクの花で夕方から夜中に咲き芳香がある。

桃
白

花後の若い実

春に出てきた葉

ヒガンバナ科
花　期：8〜9月
草　丈：40㎝前後
生育地：林の下、庭
分　布：本州〜九州

草むらから突然のように咲いていて、驚くことがある

日本在来の植物で、草むらなどに咲く花は風景になじみ、昔からそこに居るという感じがします。

キツネノカミソリ

狐の剃刀

Lycoris sanguinea var. sanguinea

草地のほか林内の半日陰にも生え、庭園などに植えられることもある。花の時期に葉はなく、花茎だけが伸びて朱色の花を咲かせる。葉は細く白っぽい緑色で、春先に出て夏には枯れる。ヒガンバナ（p.346）の仲間だが、花はよりすっきりした感じで、実もできる。

花色は独特の朱色

花期
1
2
3
4
5
6
7
8
9
10
11
12

夏

草丈は低いが、足元を明るくするように咲く

実と種子。種子は黒い

サフランモドキ

ヒガンバナ科
花　期：6～9月
草　丈：30㎝前後
生育地：花壇、庭、草地
原　産：南アメリカ

タマスダレ

玉簾

Zephyranthes candida

花の中心は緑色で、雄しべの葯が黄色

花壇や庭で見られ、丈夫で、ときに道端などでも咲いている。葉は細いが濃緑色で光沢があり、白い花との取り合わせが美しい。ゼフィランサスとも呼ばれ、レインリリーの名もある。ゼフィランサスの仲間には、花がピンクで大きい、サフランモドキもある。

白
黄

春に出てきた葉

花が多数咲く様子は、豪華な雰囲気がある

ヒガンバナ科
花　期：8～9月
草　丈：40cm前後
生育地：草地、林のふち
原　産：中国より渡来（？）

ナツズイセン

夏水仙
Lycoris × squamigera

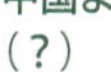子供の頃、夏休みに田舎で見た印象が強く、この花に出会うとその時のことを思い出します。

人家周辺の草むらなどに生えるが、古くに中国から入ったものといわれ、庭などに植えられる。ヒガンバナ（p.346）の仲間で、同じように花茎だけが伸び出て花が咲く。葉は春に出て、初夏には枯れる。葉がスイセン（p.108）に似ていて、夏に咲くことから名がある。

花はヒガンバナよりも大きめ

花は多数咲き、長い雌しべの先が飛び出している

段々につく実

葉は光沢がある

ツユクサ科
花　期：8〜9月
草　丈：1m前後
生育地：林のふち
分　布：本州(関東地方以西)〜九州

ヤブミョウガ

薮茗荷

Pollia japonica

茗荷とは縁遠い植物で、ツユクサの仲間。花を見るとノハカタカラクサ(p.167)やムラサキツユクサ(p.200)に似ています。

野山の林に生えるが、広い庭園内の林縁などでも見かける。茎や葉は毛が多く、ざらざらする。花は白く小さく、茎の上方に段になってつく。薄暗い林内ではこの花の白さが浮き立つ。実はまるく藍色に熟す。藪などにも生え葉がミョウガに似ることから名がついた。

花は一日花だが、多数咲く

実は直径2cmほど

斑入り葉の品種

ヒガンバナ科
花　期：7～9月
草　丈：70cm前後
生育地：庭、海岸の砂地
分　布：本州(関東地方以西)～沖縄

海辺の夕暮れ時、花が開き始める

ハマユウ

浜木綿

Crinum asiaticum var.japonicum

庭先に置いていた鉢植えのハマユウ。霜が降りた朝、葉がうなだれて萎れてしまったことを思い出します。

関東地方以西の海岸に自生するが、栽培もされ鉢植えで見かけることもある。葉は常緑で厚く光沢がある。花は夕方から咲き始め、満開になる夜中に強い香りを放つ。種子は軽く、海流に乗って漂い、分布を広げる。ハマオモトとも呼ばれ、斑(ふ)入(い)り葉(ば)の品種もある。

花。花弁は強く反りかえる

花期

1
2
3
4
5
6
7
8
9
10
11
12

夏

小川のふちに咲く花

ノカンゾウの実

春の芽吹きの葉

ツルボラン科
花　期：7～8月
草　丈：60㎝前後
生育地：野原、林のふち
分　布：本州～沖縄

ノカンゾウ

野萱草

Hemerocallis fulva var. disticha

一日花ですが茎には大きさの違う蕾がたくさんついていて、明日咲く蕾、明後日咲く蕾がその大小でわかります。

ヤブカンゾウの花は八重咲き

草地や土手など、やや湿り気のある所で見られる。花はユリに似ていて橙色。一日花で、夕方しぼむ頃、次の蕾がふくらんでいる。似ているヤブカンゾウは、花は八重咲き。両種とも春の芽立ちの葉は食べられる。この仲間はヘメロカリスと呼ばれ園芸種も多い。

赤

黄

ヘメロカリスの品種「ステラデオロ」
花弁の幅が広く、草丈が低めだが花は多数咲き、花期も長い。

ニッコウキスゲ
ヘメロカリスの仲間で山の草原や湿原に生える。別名はゼンテイカ。

夏

夏のコラム

猛暑にも負けないたくましい植物

Summer

地球沸騰化という言葉を耳にするようになり、日本でも 30°Cを超えるような真夏日が晩春から夏をまたいで初秋にまで及ぶようになり、こうした長い夏が毎年訪れるという時代になってきました。夏の植物といえば青空を背景に咲くヒマワリや周辺に香りを漂わせて咲くヤマユリなどが思い浮かびますが、秋の七草の一つクズは、春に芽が出て夏は他の植物たちを覆い尽くすほどに蔓が伸び花が咲きます。酷暑でも爆発的に成長するクズを目にするとその生命力に恐怖すら覚えます。こうした理由から私の夏の花の代表はクズで、「クズが咲いたら夏本番！」と、思うことにしています。

花期
1
2
3
4
5
6
7
8
9
10
11
12

夏

古くに中国から渡来したともいわれる

コオニユリは葉も細い

ユリ科
花　期：7〜8月
草　丈：1.5m前後
生育地：草地、庭
分　布：北海道〜九州

オニユリ

鬼百合
Lilium lancifolium

ふつう、種子をつくらないオニユリですが、長崎県の対馬に咲くオニユリの中には種子ができるものがあるようです。

葉のつけねにつくむかご

田の畦や草地に生え、農家の庭などにもよく植えられている。茎や花弁に黒っぽい斑点があり、葉のつけねにむかごをつけるのが特徴。実はできず、このむかごでふえる。コオニユリは似ているが、むかごをつけない。日本はユリの種類が多く、ほかにもさまざまある。

赤
黄

ヤマユリ
野生のユリのなかでも、花は大きく香りが強い。日本特産種。

サクユリ
ヤマユリの変種で、花はより大きく、伊豆諸島に分布する。

夏

カノコユリ
ピンクの華やかな色合いで、園芸品種も多数ある。

スカシユリ
海岸に多く、花弁同士の間にすき間があるのが特徴。

花期
1
2
3
4
5
6
7
8
9
10
11
12

夏

タカサゴユリの花はやや下向きに咲き、葉は細い

タカサゴユリの実

ユリ科
花　期：7〜11月
草　丈：1.3m前後
生育地：草地、空き地
原　産：台湾

タカサゴユリ

高砂百合

Lilium formosanum

シンテッポウユリは多くは真っ白の花ですが、ときどき赤いすじのある花も見られます。

シンテッポウユリの花

畑のふちや道路法面(のりめん)などで見かける。花は筒状で、花弁の外側に赤紫色のすじがある。大正時代に導入されたが、今では帰化種としても扱われる。最近はテッポウユリとの雑種と思われる、花の白いシンテッポウユリも多く、タカサゴユリよりもよく見られる。

白

斑入り葉のギボウシ

キジカクシ科
花　期：6～9月
草　丈：30～120㎝
生育地：庭、草地、林の下
原　産：日本、東アジア

公園の花壇に咲くギボウシの仲間

ギボウシ

擬宝珠

Hosta

公園の花壇や、庭の鉢植えなどでも見かけるが、山野に自生するものも多い。古くから栽培され、品種も多数ある。葉も観賞の対象で、斑入り（ふいり）や大きくて青みを帯びるものなどさまざまある。芳香があり、夜に咲くマルバタマノカンザシは中国が原産。

マルバタマノカンザシは香りも強い

花期
1
2
3
4
5
6
7
8
9
10
11
12

夏

白

花が満開になってくると、茎は倒れぎみになる

花のわりに種子は大きい

キジカクシ科
花　期：7〜9月
草　丈：40〜60cm
生育地：公園、庭、林の下
分　布：本州(東海地方以西)〜沖縄

ノシラン

熨斗蘭

Ophiopogon jaburan

夏、林の下に咲く白い花は目を引きます。また、冬に色づく大きな瑠璃色の種子も印象に残ります。

花は下向きに咲く

日陰地でも育ち、公園でも照葉樹の下などで見られる。自生地も暖地の林の下。葉は常緑で、大きくカーブして垂れ、多数が茂る。花の茎は平たく、その先に白い花が穂になってつく。種子は直径1cmほどで瑠璃(るり)色。観葉植物として鉢植えにもされる。

種子はほぼ黒色

ヒメヤブランは葉も細い

キジカクシ科
花　期：8〜10月
草　丈：40㎝前後
生育地：花壇、庭、林の下
分　布：本州〜沖縄

垣根沿いに、下草として植えられるフイリヤブラン

ヤブラン

藪蘭

Liriope muscari

林の中で見かける花は素朴な味わいがありますが、庭に植えられ並んで咲く花は派手さもあり印象が違います。

花壇のふちや、公園の園路沿いなどに植えられ、斑入りのものも見かける。林の下に自生する常緑の草で、日陰にも耐える。花は淡紫色で長い穂になって咲く。同じ仲間のヒメヤブランは、ずっと小さく花の数も少ない。芝生のなかで葉を広げていることもある。

花は上向きに咲く

花期

1
2
3
4
5
6
7
8
9
10
11
12

夏

花は葉の間に隠れるように咲き、気づかないことも多い

種子は瑠璃(るり)色

オオバジャノヒゲ

キジカクシ科
花　期：7〜8月
草　丈：15㎝前後（葉の長さ）
生育地：庭、林の下
分　布：北海道（西南部）〜沖縄

ジャノヒゲ

蛇の髭

Ophiopogon japonicus

暗い林の中で地面から10㎝ほどの高さで咲く小さな花。撮影は、寝そべるような姿勢になってしまいます。

紫

白

花は白、または淡紫色

リュウノヒゲとも呼ばれ、野山の林の下に生えるが、庭や花壇のふちどりなどに植えられる。葉は細く常緑でよく茂り、花の印象はうすいが、花は根元に咲く。似ているオオバジャノヒゲは、葉は幅広く、花茎は立ち上がるので、花の時期には目につく。

赤い実はよく目立つ

シノブボウキの花

キジカクシ科
花　期：7〜8月
草　丈：60㎝前後
生育地：花壇、庭、
　　　　鉢植え
原　産：アフリカ

細い葉は茎の変形したもの。スギノハカズラの名もある

野菜のアスパラガスも育つと細い葉が茂り、赤い実がなります。

アスパラガス・スプレンゲリ

スギノハカズラ

Asparagus densiflorus "Sprengeri"

観葉植物で、つり鉢にされたものを家の玄関脇などで見かける。茎は長く伸びて垂れ下がり、細く短い葉を多数つける。花は小さく目立たないが、秋に赤く熟す実はよく目につく。同じ仲間で、鉢植えや切り葉にされるのは、セタケウス種の品種シノブボウキ。

花は葉の元に咲く

花期
1
2
3
4
5
6
7
8
9
10
11
12

花茎の上の方に雄花、下の方に雌花がつく

雄花

実はやや平たい

オモダカ科
花　期：8〜10月
草　丈：60㎝前後
生育地：水田、浅い沼など
分　布：北海道〜沖縄

夏

オモダカ

面高

Sagittaria trifolia

晴れた夏の田んぼで見かけるオモダカは強い日差しを受け、いかにもイネを押しやりそうです。

雌花

白

浅い池や水湿地で見られる。水中に生える水生植物。葉は基部が左右下に張り出した独特の形で、家紋にも用いられる。葉よりも高く花茎を伸ばし、花弁が3枚の清楚な花をつけるが、水田では雑草として嫌われる。お正月に食べるクワイはオモダカの栽培品種。

葉はしわが多い

実はべたつき衣服につく

キク科
花　期：9～10月
草　丈：60㎝前後
生育地：藪、林のふち、草地
分　布：北海道～沖縄

草丈はあまり大きくならず、枝を長く張り出す姿は独特

実の時期、草むらを歩くとズボンの裾に実がつきます。だんだん落ちますが、種まきを手伝わされているわけです。

ヤブタバコ

藪煙草

Carpesium abrotanoides

林のふちの藪や、林下に生える。葉がタバコの葉に似ているので名がついた。草姿は特徴があり、茎はある程度伸びると、そこから放射状に枝分かれする。花はその枝に下向きに並んでつく。葉は止血などの薬効がある。実は臭気があり、駆虫剤に利用される。

花は壺形

花期
1
2
3
4
5
6
7
8
9
10
11
12

名はムコナ(シラヤマギク)に対してといわれる

ヨメナ

嫁菜

Aster yomena

キク科
花　期：7〜10月
草　丈：50〜120cm
生育地：道端、田の畦
分　布：本州(中部地方以西)〜九州

野菊の一種で湿った所に生える。若葉は香りがよく山菜として利用されてきた。西日本に多い。葉はざらつかず花は白もある。別名はオハギ。

九州の旅では野菊を見るとその都度確認するのでいつも時間に追われます。

初秋

カントウヨメナ

関東嫁菜

Aster yomena var. dentatus

キク科
花　期：7〜10月
草　丈：50〜100cm
生育地：田畑の畦、草地
分　布：本州(関東地方以北)

野菊の仲間で湿った所に生え、関東地方に多い。ヨメナに似ているが花はやや小さめ。違いの確認は実につく冠毛(かんもう)だが肉眼ではむずかしい。

紫

白

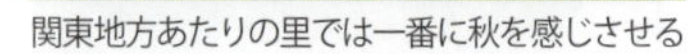

関東地方あたりの里では一番に秋を感じさせる

見た目はノコンギクに似ていますが冠毛がずっと短いので本種とわかります。

ノコンギク
秋の野菊の代表種で葉はざらつく。○内はコンギク。ノコンギクの栽培品種。

シロヨメナ
山地の木陰や林縁などに咲く。花は白く、葉は緑色がやや濃い。

ユウガギク
花は白や淡紫色で葉はややざらつき、枝が横に広がるように出る。

ダルマギク
海岸の岩場に生え、分布も限られた植物だが、公園に植えられもする。

花期

1
2
3
4
5
6
7
8
9
10
11
12

ピンク色の品種。花は小さいが多数咲く

キダチコンギク

キク科
花　期：9～10月
草　丈：1.5m前後
生育地：花壇、庭
原　産：原産地不明

初秋

クジャクアスター

クジャクソウ

Aster

花がよく似たユウゼンギクも含め、欧米ではこの仲間全体をミカエルマス・デージーと呼びます。

紫
桃
白

シロクジャク。切り花にもされる

秋の花壇で見かける。枝は大きく弓のように曲り、小さい花をたくさんつける。クジャクソウ、宿根アスターともいわれ、花の白いものはシロクジャクと呼ばれる。ピンク、淡紫色などもある。帰化植物のキダチコンギクに似ているが、渡来歴はよくわかっていない。

葉はざらつく

キク科
花　期：8〜10月
草　丈：1.5m前後
生育地：花壇、庭、山地の草原
分　布：本州（中国地方）、九州

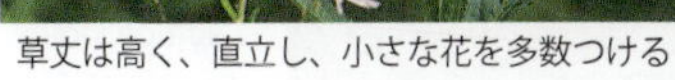
草丈は高く、直立し、小さな花を多数つける

シオン

紫苑
Aster tataricus

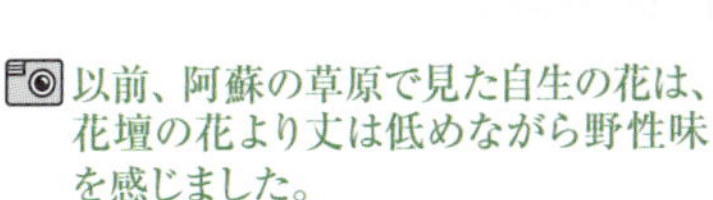
以前、阿蘇の草原で見た自生の花は、花壇の花より丈は低めながら野性味を感じました。

本州の中国地方や九州に自生するが、数は少なく、庭などに植えられているものを見ることが多い。草丈は2mほどにもなり、茎の先に淡紫色の花がたくさんつく。切り花用に栽培もされ、根には薬効があり、咳止めや去痰剤に利用される。

花は明るい紫色

大正時代に見つけられた帰化植物

ハキダメギク

掃溜菊

Galinsoga quadriradiata

キク科
花　期：6～11月
草　丈：30㎝前後
生育地：道端、草地、畑地
原　産：熱帯アメリカ

道端などで雑草としてよく見られる。花は小さく、花弁の先は3つに切れ込む。全体に毛が多く、葉はシソに似るが毛が多いので見分けられる。

繁殖力が強く、花は一年中咲き種子がたくさんできるので怖いようです。

初秋

丈が高く、この花色で遠目にも気がつく

アキノノゲシ

秋の野罌粟

Lactuca indica

キク科
花　期：8～11月
草　丈：1.3m前後
生育地：草地、空き地
分　布：北海道～沖縄

花は舌状花（ぜつじょうか）のみ集まり、淡い黄色で独特の色合い。茎の下部の葉は切れ込みの深いものやないものもある。茎や葉を切ると白い乳液が出る。

草丈が高く大きなものは2m ほどになり、他の草を見下ろすように咲きます。

ピンク色の品種

タチアワユキセンダングサ

キク科
花　期：9〜11月
草　丈：1m前後
生育地：花壇、庭
原　産：北アメリカ南部〜グアテマラ

草丈は高くなるが、夏咲きで這う品種もある

ビデンス

ウィンターコスモス

Bidens

同じ仲間のアメリカセンダングサ(p.300)は雑草ですが、花の綺麗なビデンスと実の形はよく似ています。

秋も遅くまで花壇で見られる。シンプルな花が美しく、ウィンターコスモスと呼ばれる淡黄色のラエウィス種や、白、ピンクの品種もある。同じビデンスの仲間で、帰化種として扱われるが、南西地方に多いタチアワユキセンダングサも、花は白く大きく美しい。

黄花品種「ゴールデンキューピッド」

河原や、放棄された耕作地などでよく見られる

コセンダングサ

キク科
花　期：9〜10月
草　丈：1.2m前後
生育地：空き地、河原、道端
原　産：北アメリカ

アメリカセンダングサ

セイタカタウコギ
Bidens frondosa

水辺に多い植物ですが、適応性があるようで乾いた草地でも目にします。

花は、周りにつく苞が目立つ

大正時代に渡来した帰化植物で、湿り気のある所によく生える。茎は紫色を帯び、花は暗い黄色。実には刺があり、これで衣服などにつく。別名はセイタカタウコギ。この仲間では最も多く見られたが、最近では同じ帰化種のコセンダングサも多い。

葉の先は鋭くとがる

塊茎

キク科
花　期：9～10月
草　丈：2m前後
生育地：道端、空き地
原　産：北アメリカ

茎や葉には毛が多く、さわるとざらざらする

キクイモ

菊芋

Helianthus tuberosus

花は花壇に植えてもよいほど美しいのですが、草丈が高く、ほかの花たちとのバランスがとりにくそうです。

大形の草で、2mを超すこともあり鮮やかな黄色の花をつける。塊(かい)茎(けい)（地下茎の先の肥大した部分）は粕漬けなど食用になり、栽培されていたこともあったが、今では野生状態のものが多い。塊茎が小さいものをイヌキクイモとすることがあるが、判別はむずかしい。

花はシンプルな形で、ヒマワリの仲間

花期
1
2
3
4
5
6
7
8
9
10
11
12

初秋

花は白く、乾くと全草よい香りがする

園芸店で見られるフジバカマ

キク科
花　期：8〜10月
草　丈：1.2m前後
生育地：川岸、土手
分　布：本州(関東地方以西)〜九州

フジバカマ

藤袴

Eupatorium

園芸店でフジバカマとして外来種を売っているのですが最近は別の種の外来種も売っていて混乱させられます。

花は筒状花(とうじょうか)が数個集まる

河川敷などに生え、秋の七草の1つとして知られるが野生のものは絶滅危惧種となっている。園芸店などでフジバカマとして売られているものは、花や茎が赤みを帯び葉も細くすっきりした草姿。本来のものとは見た目が違うが河原などに野生化もしている。

桃
白

芽吹きの頃の葉

在来種のヒヨドリバナ

薄暗い林のなかでは、白い花が浮き立つ

キク科
花　期：9〜11月
草　丈：1.2m前後
生育地：藪、林のふち、草地
原　産：北アメリカ

花壇ではマルバフジバカマによく似た茎や葉に赤みのある、ユーパトリウム「チョコラータ」という品種を見かけます。

マルバフジバカマ

丸葉藤袴

Ageratina altissima

林の下や藪などで見られる。植物園に植えられていたものが逃げ出したといわれる帰化植物だが、繁殖力が強く最近はふえていて、日差しの少ない林下などでよく見られる。以前は前ページのフジバカマや在来種のヒヨドリバナと同じ属だったが現在は別属になった。

小さく、まるく集まる花

葉は深い切れ込みはない

ベニバナボロギク

キク科
花　期：9～10月
草　丈：1m前後
生育地：道端、草地、空き地
原　産：北アメリカ

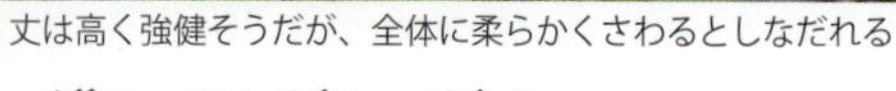

丈は高く強健そうだが、全体に柔らかくさわるとしなだれる

ダンドボロギク

段戸襤褸菊

Erechtites hieraciifolius

なぜか郊外の林道沿いなどに多く、街では手入れの悪い分離帯などで見かけることがあります。

花と実。実は白い毛が多い

空き地や荒れ地、山の伐採跡などによく生える。愛知県の段戸山（だんどさん）で初めて確認された帰化植物で、名もそこから。茎は柔らかく、花は筒状で先が黄色い。似ているベニバナボロギクは筒状の花の先が赤い。実には白い毛があり、風に吹かれて飛んで行く。

開花の頃の葉

春の芽吹き

春の摘み草で、よもぎ餅をつくることでも知られる

キク科
花　期：9〜10月
草　丈：80㎝前後
生育地：道端、草地、田の畦
分　布：本州〜沖縄

ヨモギ

蓬

Artemisia indica var. maximowiczii

草摘みの時期以外あまり目立たない存在のヨモギですが、秋になるとシックに色づいた草紅葉となります。

野山の草地や田の畦、公園などでも見られる。春の若芽を摘んで草餅をつくることでも知られる。葉裏は綿毛が密生して白く見え、この毛でお灸(きゅう)に使うもぐさがつくられる。生葉は切り傷に効き目があるなど有用な草で、昔からよく利用されてきた。

花は小さく地味な色合い

葉は対生し、そこから枝も向かいあって出る

メナモミは茎に毛が多い

キク科
花　期：9〜10月
草　丈：70㎝前後
生育地：道端、空き地
分　布：北海道〜沖縄

コメナモミ

小雌なもみ

Sigesbeckia glabrescens

茎に毛の多いメナモミにくらべ、毛の目立たないコメナモミはほっそりとして痩せた感じがします。

腺毛が多く、特徴的な花

名前にオナモミ類と同じ「ナモミ」とつくが、花は似ていない。花の周りはべたつき、衣服などによくつくことは共通する。花の周辺につく、細長い総苞片（そうほうへん）に腺毛（せんもう）（粘液を出してねばる毛）が多く、これでくっつく。メナモミよりも全体に小さいので、コメナモミ。

葉は長い柄がある

イガオナモミの実

キク科
花　期：8～11月
草　丈：1.5m前後
生育地：道端、空き地、河原
原　産：メキシコ

道端や空き地で見かける。花は地味で目立たない

オオオナモミ

大雄なもみ

Xanthium orientale ssp. orientale

面ファスナーはオナモミの仲間の刺の先の構造を見て考え出された発明品で、発祥はスイスです。

楕円形で刺の多い実がよく目立つ。刺の先は曲がっていて、衣服などによくつくので、子供が「ひっつき虫」と呼んで遊ぶおもちゃにする。帰化種だが在来のオナモミよりもよく見られ、同じ帰化種ではイガオナモミもある。イガオナモミは実が大きめで刺に毛がある。

実。右上方は花後の雄花

花期
1
2
3
4
5
6
7
8
9
10
11
12

秋の蜜源植物としても貴重な存在になっている

実の時期。毛が目立つ

葉は細く、ざらつく

キク科
花　期：10～11月
草　丈：1.5m前後
生育地：草地、空き地
原　産：北アメリカ

初秋

セイタカアワダチソウ

背高泡立草
Solidago altissima

背が高く花が泡立つように咲くのでこの名がありますが、実の時期のほうがこの名を実感します。

1つ1つの花は小さい

帰化植物の代名詞のようにいわれ、各地に大群落が見られたが、最近は一時ほどではなく、今や秋を感じさせる花の1つとなっている。空き地や河川敷に生え、花の穂は大きく三角状になり葉は細く茎に沿うように多数つく。枯れてもなかなか倒れず実を飛ばす。

黄

淡いピンク色の品種

葉はしわが多い

キク科
花　期：5〜10月
草　丈：50cm前後
生育地：花壇、庭、道端
原　産：メキシコ、中央アメリカ

花はフワフワした感じで可愛らしい

アゲラータム

カッコウアザミ
Ageratum

沖縄などで見られる帰化種としてのカッコウアザミは丈が高く、花壇の矮性のものとは印象が違います。

花は、まるくふんわり集まったものがいくつかまとまって咲く。丈の低い矮性種(わいせいしゅ)が、花壇のふちどりや鉢植えでよく見られ、高性種は切り花にされる。秋が花の盛りだが、早春にタネを撒いたものは5月頃から咲く。花色は濃いピンク、白もある。

花は多数の雌しべが出ている

さわやかな秋の空が似合う花だが、鉢植えにもされる

黄色の品種

チョコレートコスモス

キク科
花　期：6～11月
草　丈：1.4m前後
生育地：花壇、庭
原　産：メキシコ

コスモス

秋桜
Cosmos bipinnatus

ピンクや赤の花はパステル調で穏やかな色合いです。近年生み出された黄色品種も優しい黄色でコスモスらしい色調です。

紫色に白の複色品種

花壇で見られ、景観植物として高原などに植えられる。花の形からアキザクラ（秋桜）の名もある。丈は高くなるが葉は細く繊細で、全体はたおやかな印象。品種は多数で、春咲き種もある。明治時代に渡来したとされるが、日本の風土によくなじみ、親しまれている。

赤花品種

切れ込みの多い葉

よく見かけるオレンジ色の品種

キク科
花　期：6～10月
草　丈：1.2m前後
生育地：花壇、庭
原　産：メキシコ

キバナコスモス

Cosmos sulphureus

コスモスの穏やかな色合いとは違い鮮やかなオレンジ色で、赤色の品種は情熱的な色調です。

花壇などに植えられ、丈の低い品種は鉢植えにされる。花はコスモスよりも小さく丈も低い。枝をよく出し全体が横に広がる。花色はオレンジ色のほか、黄色、赤もあり、葉の切れ込みはコスモスほど細かくない。野生化したものが道端などで見られる。

淡い黄色の品種

花期
1
2
3
4
5
6
7
8
9
10
11
12

初秋

秋の七草の1つで、夏の終わりも感じさせる

葉は対生し深く切れ込む

オトコエシの花は白い

スイカズラ科
花　期：8～10月
草　丈：80cm前後
生育地：花壇、庭、野山の草原
分　布：北海道～九州

オミナエシ

女郎花

Patrinia scabiosifolia

黄色い小さな花が集まって咲く様子はよく目立ち、初秋の草はらでは存在感があります。

花はとても小さい

野山の日当たりのよい所に生えるが、庭にも植えられ、切り花にもされる。秋の七草の1つ。全体が細くやさしい感じで、風にゆれる様子はいかにも秋の風情。花は白いが似ているオトコエシは、オミナエシに比べ、がっしりした感じがするので名がついた。

黄

実の時期は色づく

野原や公園の林の下などにも生える

キツネノマゴ科
花　期：8～10月
草　丈：30㎝前後
生育地：道端、草地、林の下
分　布：本州～九州

花の時期は長く、夏頃から咲き出し、最盛期を過ぎて秋遅くまで咲き残っています。

キツネノマゴ

狐の孫

Justicia procumbens var.procumbens

道端や草地で見かける。花の少なくなった秋に、足元のピンク色に目をとめるとこの花のことがある。花の穂は苞(ほう)が密集し、花はその間から出てポツポツと咲く。この花の穂がキツネのしっぽを思わせ、あまりに小さいのでマゴ（孫）がついたと思われる。

花は唇形で斑紋がある

全体に毛が多く、さわるとふかふかした感じがする

実は毒性がある

ナス科
花　期：8〜9月
草　丈：つる性
生育地：空き地、林のふち
分　布：北海道〜沖縄

ヒヨドリジョウゴ

鵯上戸

Solanum lyratum

ヒヨドリがこの実を食べているところは見たことがありません。実にはソラニンという毒成分があるようです。

花弁が反りかえった花

野山に生え、市街地の公園などでも見られる。つる性で、葉柄（ようへい）でほかのものにからまって伸びる。茎や葉に毛が多くて柔らかく、葉は切れ込みのあるものとないものがある。花は開いた後花弁が強く反りかえる。実は赤く熟してぶら下がり、よく目立つ。

葉のふちは波状

アメリカイヌホオズキ

ナス科
花　期：8〜10月
草　丈：50cm前後
生育地：道端、草地、空き地
分　布：北海道〜九州

草丈はあまり高くならないが、枝は横に広がる

イヌホオズキ

犬酸漿

Solanum nigrum

イヌホオズキの葉の幅は、帰化植物のアメリカイヌホオズキよりも広く、やや厚めです。

道端などに生え、住宅を取り壊した跡地などでよく見られる。花は白色で小さく、花弁が反りかえる。実は黒く熟し、花と実が一緒についていることも多い。アメリカイヌホオズキはよく似ている帰化植物で、花は淡紫色や白。実はやや小さく、つやがある。

実は黒く熟す

果期
1
2
3
4
5
6
7
8
9
10
11
12

赤い実は楽しく、根は薬効があり、漢方にも利用される

晩秋に残る実

葉。浅い切れ込みがある

ナス科
花　期：6月
果　期：7〜9月
草　丈：70cm前後
生育地：庭、鉢植え
原　産：アジア

初秋

ホオズキ

酸漿

Physalis alkekengi var.franchetii

花は白く、小さめで下向きに咲く

白

庭に植えられ、畑の隅などでも見かける。赤いちょうちんのような実はおなじみで、初夏のほおずき市は風物詩になっている。袋状のものは萼（がく）で、花後、大きくなって本来の実を包み込む。実の中身を取り出し、皮だけにして口の中で鳴らす遊びができる。

花の白いヒメジソ

ヒメジソによく似ているが、葉のふちの切れ込みなどが違う

シソ科
花　期：9〜10月
草　丈：40cm前後
生育地：野山の道端、草地
分　布：北海道〜沖縄

イヌコウジュ

犬香需

Mosla scabra

植物は香りも大きな要素です。イヌコウジュの葉は揉むと香りがしますが、ヒメジソの葉はあまり匂いません。

野山の日当たりのよい所に生え、茎や葉は紫色を帯びることが多い。花の穂には多数の花がつくが、まばらに咲いていることが多い。花色はピンク。よく似ているヒメジソは、イヌコウジュより葉の長さは短めで、葉のふちの切れ込みも粗い。

花は小さい筒状でピンク色

花期
1
2
3
4
5
6
7
8
9
10
11
12

初秋

秋の散歩道でよく見られる

葉はエノキに似る

トウダイグサ科
花　期：8～10月
草　丈：30㎝前後
生育地：道端、草地
分　布：北海道～沖縄

エノキグサ

榎草
Acalypha australis

総苞は編笠に似ていてアミガサソウという名も納得。葉も榎に似ていてエノキグサも納得。名を覚えやすい植物です。

穂になった雄花と下につく雌花

道端などで見られ、雑草の１つとされる。雄花は細い穂になり、赤みを帯びる。雌花はその下の、葉とそっくりな総苞（そうほう）の真ん中につく。この総苞の形が編み笠に似ているので、別名はアミガサソウ。葉が樹木のエノキに似ているので、エノキグサの名がある。

白
緑

アレチハナガサ

小さい花が傘を開いたような形になって咲く

クマツヅラ科
花　期：7～9月
草　丈：1.2m前後
生育地：庭、道端、空き地
原　産：南アメリカ

ヤナギハナガサ

柳花笠

Verbena bonariensis

サンジャクバーベナともいい、花壇に植えられる。全体にかたい毛があってざらつく。細い茎が高く伸びる姿は特徴的だが、野生化もしていて、全国的な帰化植物になっている。アレチハナガサは同じ南アメリカ原産の帰化植物で、河原や荒れ地などで見られる。

花は筒状の部分が長い

花後、葉のつけねにむかごができてこぼれ落ちる

葉はいびつな形

ベゴニア・センパフロレンス

シュウカイドウ科
花　期：9～10月
草　丈：40cm前後
生育地：花壇、庭、湿り気の多い石垣
原　産：中国、マレー半島

シュウカイドウ

秋海棠

Begonia grandis

外国の植物という感じですが、古い民家の裏などに生え日本的な風景によくなじんでいます。

花は明るいピンク色

庭などでも、日陰の場所で見かける。俳句の秋の季語にもなっているシュウカイドウだが、江戸時代に渡来したベゴニアの仲間。耐寒性があり、繁殖力も強いので野生化もしている。やや薄暗い湿った所に生え、しっとりと咲く様子は雰囲気があり、美しい。

秋の紅葉

アオイ科
花　期：8〜9月
草　丈：50cm前後
生育地：道端、草地
分　布：本州（関東地方以西）〜九州

葉は長い柄があり、茎は紫色を帯びることがある

カラスノゴマ

烏の胡麻

Corchoropsis crenata

花には花粉のできない仮の雄しべが5本あり、その外側にふつうの雄しべが10本あります。

野山の道端で見かける。黄色の花を下向きに咲かせるが、花は長い仮雄しべ（葯がなく変形した雄しべ）が目立つ。全体に毛が多く、葉をさわるとふわふわした感触がある。実は細長く、種子はゴマに似ている。秋には葉も実も紅葉し、草紅葉としても美しい。

長い仮雄しべが出ている花

雌花は茎の上方に雄花は下方につく

カラムシ

茎蒸

Boehmeria nivea var.concolor

イラクサ科
花　期：7～9月
草　丈：1～1.5m
生育地：道端、林のふち
分　布：本州～沖縄

茎から繊維をとるために古くから利用されていた有用植物。よく似たナンバンカラムシはアジア大陸原産で繊維用に栽培され野生化もしている。

自生種ですが昔繊維をとるため各地で栽培されたためかよく目にします。

雄株。花は小さく、穂状で上向きにつく

カナムグラ

鉄葎

Humulus scandens

アサ科
花　期：8～10月
草　丈：つる性
生育地：道端、草地、空き地
分　布：本州～九州

藪などでよく見かける。全体がざらつき、茎などに下向きの刺があり、これで物にからみつく。雄株と雌株は別々で、雄花はよく花粉を飛ばす。

本種での花粉症の人は近づかないでしょうが僕は平気で撮影できます。

斑入り葉の品種

モミジバゼラニウム

フウロソウ科
花　期：4～11月
草　丈：30～120㎝
生育地：花壇、庭、鉢植え
原　産：南アフリカ

暖地では庭植えにもされる。別名はテンジクアオイ

ゼラニウム

テンジクアオイ

Pelargonium

鉢花として定着している花で、花期も長く、庭先などでよく見られる。ヨーロッパで品種改良が始まり、低木状になる系統と、這うように伸びる系統があり、それぞれに多くの花色や、花形、斑入り葉の品種がある。最近は丈が低い矮性種がよく植えられている。

パンジーゼラニウム

花は長さ約1.5cm。紫と白の配色で美しい

ヤブマメ

藪豆

Amphicarpaea edgeworthii

マメ科
花　期：9〜10月
草　丈：つる性
生育地：林のふち、藪
分　布：北海道〜九州

藪などで見られ、よくほかのものにからまっている。葉は3つに分かれる複葉。地中に花を開かない閉鎖花をつけ、実は地上と地中にもできる。

花は小さく葉の陰で見えないことも多い

ツルマメ

蔓豆

Glycine max ssp. soja

マメ科
花　期：8〜9月
草　丈：つる性
生育地：草地、林のふち
分　布：北海道〜九州

ダイズの原種といわれているつる性の草。花は小さく、葉は3つに分かれヤブマメよりも細長い。実も小さく茶褐色の毛が多い。ノマメともいう。

木にからんだつるは高く伸び上の方に咲く花を撮る時は苦労させられます。

ヤブツルアズキ

藪蔓小豆

Vigna angularis var.nipponensis

マメ科
花　期：8～10月
草　丈：つる性
生育地：草地、土手
分　布：本州～九州

草むらなどをおおうようにつるを伸ばす。花は黄色でねじれたような変わった形で目を引く。実は細長く、アズキに似ていてタネもよく似ている。

アズキの原種ともアズキの野生化ともいわれる

斜面一面に生えていたのでちょっぴり実をとり試しに茹でてみました。

クサネム

草合歓

Aeschynomene indica

マメ科
花　期：7～10月
草　丈：50～90㎝
生育地：川岸、水田
分　布：北海道～沖縄

川岸などの湿地に生える。葉は小さな葉が多数ついた複葉でネムノキに似ているため名もここから。暗くなると葉を閉じ、触れても閉じる。

花はマメ科特有の蝶形で中心が赤っぽい

8月の水辺の昼どきで、暑いさなかでしたが汗をかきつつ撮影しました。

花は小さくまばらだが、ピンク色が可愛らしい

ヌスビトハギ

盗人萩

Hylodesmum podocarpum ssp.oxyphyllum var.japonicum

マメ科
花　期：7〜9月
草　丈：60〜100㎝
生育地：道端、草地
分　布：北海道〜沖縄

小さい穂状の花が秋の訪れを感じさせる。葉は3枚に分かれ先端の葉が大きい。実にはかぎ状の毛が多く、他の物にくっついて分布を広げる。

布などにひっつく戦略のため、その時期の藪歩きは勇気がいります。

初秋

立ち上がったまるい花弁に2つの黄色の斑点がある

アレチヌスビトハギ

荒れ地盗人萩

Desmodium paniculatum

マメ科
花　期：9〜10月
草　丈：50〜100㎝
生育地：道端、空き地
原　産：北アメリカ

昭和年代に確認された帰化種だが今では全国的に広がっている。花は蝶形（ちょうけい）で、ヌスビトハギよりも大きく、実は節があり節のところでくびれる。

桃

在来種より実が多く、布へのひっつき方も強いのでより恐ろしい存在。

ニクイロシュクシャ

ハナシュクシャ。純白の大きい花を咲かせる

ショウガ科
花　期：8〜10月
草　丈：1.5m前後
生育地：花壇、庭
原　産：インド〜マレーシア

ジンジャー

シュクシャ

Hedychium coronarium

ハナシュクシャをはじめ夜に咲く花は夜行性の虫たちを誘うためか、白色で香りが強いものが多いようです。

花壇や庭で見かける。ジンジャーの仲間はいくつかあるが、ふつうジンジャーといえばこのハナシュクシャをさす。ミョウガに似た大きな葉を出し、夕方に香りのよい花を咲かせる。ニクイロシュクシャは同じ仲間で、花は多数つくが、香りは少ない。

花はよい香りがする

花期
1
2
3
4
5
6
7
8
9
10
11
12

秋の草原で落ち着いたたたずまいを見せる

葉のふちはのこぎり状

バラ科
花　期：8〜10月
草　丈：80cm前後
生育地：花壇、野山の草原
分　布：北海道〜九州

初秋

ワレモコウ

吾亦紅、吾木香、割木瓜
Sanguisorba officinalis

名前の由来は諸説あり、漢字名もいくつかありますが、「吾亦紅」が花のイメージを表しているような気がします。

紫
赤

小さな花が集まり穂になっている

日当たりのよい野山の道端や草地に生えるが、季節になると花屋の店先でも見られる。地味だが花の色合いは独特で、俳句の秋の季語にもなっている。楕円形の花の穂は、小さな花が集まったもので、先の方から下へ向かって咲いていく。葉は茎の下の方につく。

ピンク色の一重咲き

キクに似ているが、よく見ると雰囲気が違う

葉は切れ込みがある

キンポウゲ科
花　期：9〜10月
草　丈：70cm前後
生育地：花壇、庭、林のふち
原　産：中国

シュウメイギク

秋明菊

Anemone hupehensis var.japonica

花が美しく「黄泉の国」の秋の菊という意味で「秋冥菊」に、その後「秋明菊」になったようです。

花壇でよく見られ、野山の林のふちなどにも生えるが、古くに帰化したものと考えられている。キクと名がつくが、キク科ではなくキンポウゲ科の仲間。一重咲きの花もある。京都北部の貴船神社の近辺で多く見られたので、キブネギクの名もある。

一重咲きの白花

花の穂はとげとげした感じで、実は衣服によくつく

下向きにぴったりつく実

イノコヅチは全体に細い

ヒユ科
花　期：8〜9月
草　丈：60㎝前後
生育地：道端、草地、空き地
分　布：本州〜九州

ヒナタイノコヅチ

日向猪子槌

Achyranthes bidentata var. fauriei

茎の節が太く、イノコヅチより頑丈そうな印象です。実はズボンの裾によくくっつきます。

花は目立たない

道端や荒れ地のような所によく生える。全体に毛が多く、葉や枝は対生するのも特徴。花は緑色で小さく、穂状(すいじょう)につくがよく見ないとわからない。イノコヅチはヒカゲイノコヅチともいい、日陰に多く、全体に細く葉も薄い。両方とも、実は茎に沿って下向きにつく。

葉を観賞するハゲイトウ

鉢植えのヤリゲイトウ

クルメケイトウ。濃厚な色とボリュームのある花が目を引く

ヒユ科
花　期：7〜10月
草　丈：40〜100㎝
生育地：花壇、庭
原　産：熱帯アジア、インド

ケイトウ

鶏頭
Celosia

ケイトウはノゲイトウ(p.332)の仲間ですが、ハゲイトウはイヌビユ(p.333)の仲間で花は地味です。

夏から秋の花壇を燃えるような赤や黄色で彩る。栽培の歴史は古く、万葉集にうたわれる韓藍(からあい)はケイトウといわれる。花の形を、鶏のとさかにたとえて名がついた。品種も多く、形や色違いなどさまざま。近縁のハゲイトウは色づく葉を観賞する。

トサカケイトウ

花期
1
2
3
4
5
6
7
8
9
10
11
12

初秋

帰化植物として荒れ地に生える様子

色の濃い品種

ヒユ科
花　期：7〜10月
草　丈：60㎝前後
生育地：庭、花壇、道端、空き地
原　産：熱帯アメリカ

ノゲイトウ

野鶏頭

Celosia argentea

花壇に咲く園芸品種は花の穂が太く色鮮やかで、帰化植物として咲く花とは様子が違います。

セロシア・シャロン

セロシアという名で園芸店でも扱われ、品種もある。寒さや湿気に弱いが乾燥に強く、暖地では帰化植物となって草むらなどに生えている。ケイトウ（p.331）の原種といわれ、ケイトウに比べ素朴な感じがする。花は穂状（すいじょう）で蕾は色が濃く、下から咲き上がっていく。

桃
白

ホナガイヌビユは穂が長い

ヒユ科
花　期：6〜11月
草　丈：60㎝前後
生育地：道端、空き地、畑地
原　産：ヨーロッパ

葉は柔らかく、若いものは食べられる

イヌビユ

犬莧

Amaranthus blitum

ホナガイヌビユもイヌビユもよくあるので、見かけると葉の先がへこんでいるかどうかを確認するのがくせになりました。

市街地の道端や畑のそばなどに生える。古い帰化植物で、今では雑草の１つに数えられる。花は緑色で小さく、穂にびっしりとつく。葉は長めの菱形（ひしがた）で、先がへこむのが特徴だが、最近はこのへこみが小さい、ホナガイヌビユがふえている。

花。雄しべが出ているので花とわかる

花期
1
2
3
4
5
6
7
8
9
10
11
12

枝をななめ上に多数出し、大きな株をつくる

新芽は白い粉をかぶる

アカザ。育つと緑色になる

ヒユ科
花　期：9～10月
草　丈：1.2m前後
生育地：道端、空き地、畑地
分　布：北海道～沖縄

初秋

シロザ

シロアカザ

Chenopdium album

アカザよりもシロザの方が丈夫なようで、野原で目にするのはシロザばかりでアカザはあまり見かけません。

花は小さく、かたまってつく

道端や空き地など、身近でよく見られる。新芽は白い粉をかぶっていて中心が白く見える。花は緑色で小さく、茎は木のようにかたくなり軽いので杖がつくられる。アカザはよく似ているが、新芽の中心は赤く、葉はシロザより薄くて大きめ。種子の様子なども違う。

白
緑

葉のつけねに咲く花

ヒユ科
花　期：8〜10月
草　丈：80cm前後
生育地：花壇、庭
原　産：中国、ユーラシア大陸

まるみを帯びた草姿は目を引く

剪定しなくても端正な姿になる草で、花壇がよく手入れされているように見える便利な植物。

コキア

ホウキギ、ホウキグサ

Bassia scoparia

庭や花壇のふちどりなどで見かける。乾燥したものを束ねて箒（ほうき）をつくったことから、ホウキギとも呼ばれる。全体が整った卵形に育ち、明るい緑色で秋の紅葉も美しい。花は小さく目立たないが、実は食用にされ、「とんぶり」と呼ばれてプチプチした食感がある。

紅葉。株全体が赤く色づく

集まってつく実はよく目立つ

葉の柄にも刺がある

ママコノシリヌグイ

タデ科
花　期：7〜10月
果　期：9〜11月
草　丈：つる性
生育地：草地、河原
分　布：北海道〜沖縄

イシミカワ

石実皮

Persicaria perfoliata

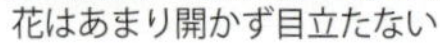
花はあまり開かず目立たない

道端や林のふちで見かける。茎などに鋭い下向きの刺があり、ほかの物にからみつく。葉は三角形で、葉柄(ようへい)は葉の裏につく。花は緑色だが、実は熟すと瑠璃(るり)色になり数個が固まってよく目立つ。似ているママコノシリヌグイは花がピンク色。実よりも花が目立つ。

葉はあらい毛がある

ギンミズヒキ

開いた花よりも実を見ることが多い

タデ科
花　期：8〜10月
草　丈：60cm前後
生育地：藪、林のふち、草地
分　布：北海道〜沖縄

ミズヒキ

水引
Persicaria filiformis

いい雰囲気で咲いていても、いざ写真を撮ろうとすると花がまばらで、なかなか構図が決められない難しい被写体です。

道端の藪や林のふちなどで見られる。長い花の穂に小さな赤い花をまばらにつける。花は下の部分が白く、これを紅白の水引（みずひき）に見立てて名がある。実は同じ色合いでさわると飛ぶ。葉は楕円形で、斑（ふ）があるものも多い。白い花のものをギンミズヒキという。

花の下側は白い

葉の基部はやや張り出す

イタドリ

虎杖

Fallopia japonica var.japonica

タデ科
花　期：7〜10月
草　丈：1.2m前後
生育地：道端、空き地、林のふち
分　布：北海道〜九州

市街地から山地まで広く見られる大形の草。花は小さく茎の先と葉のわきに多数つく。雄株と雌株は別で、雌株は花後ひれのついた実をつける。

中国名「虎杖」は納得ですが「虎杖」をイタドリと読むのは僕は難しい。

花は小さいが紅白の色は目を引く

ボントクタデ

ぼんとく蓼

Persicaria pubescens

タデ科
花　期：9〜10月
草　丈：70㎝前後
生育地：水辺、湿地
分　布：本州〜沖縄

小川のふちなどの水辺に生える。花の穂は長めで垂れ下がる。花は外側が淡紅色で内側が白く、穂にまばらにつき、葉には黒っぽい斑(ふ)がある。

節につく托葉はまるい

葉は斑があることが多い

タデ科
花　期：7〜10月
草　丈：70㎝前後
生育地：水田、水辺などの湿地
分　布：本州〜九州

水辺にピンクのふんわりしたお花畑をつくる

ミゾソバ

溝蕎麦

Persicaria thunbergii var.thunbergii

人里の近くで見られる親しみのある草。蛙がいるような水辺に生えるので、「蛙草」など別名もたくさんあります。

田の畦や水辺など、湿った所に生えよく群生する。茎や葉には小さい刺があり、ざらざらする。茎の先に小さい花がまるく集まり、全体が金平糖(こんぺいとう)のようで可愛らしい。花の下部は白く上部は紅紫色を帯びる。葉の形は牛の顔を思わせ、別名もウシノヒタイ。

花。蕾の先が色づく

花は果実期も実を包んでそのまま残る

アキノウナギツカミ

秋の鰻攫

Persicaria sagittata

タデ科
花　期：7〜10月
草　丈：60〜100㎝
生育地：水辺、湿地、休耕田
分　布：北海道〜九州

茎には名のいわれのような下向きの鋭い刺がある。葉は基部が矢じり状に張り出すのが特徴。花は白から淡紅色で多数がほぼ球状に集まる。

湿地で秋に花が咲き鋭い刺があるのでこの名があります。鰻たちには脅威かも？

初秋

アキノウナギツカミより刺は小さく花は少なめ

ヤノネグサ

矢の根草

Persicaria muricata

タデ科
花　期：9〜10月
草　丈：20〜60㎝
生育地：水辺、湿地、休耕田
分　布：北海道〜九州

名は葉の形が矢じりに似ていることからというが、基部は張り出さない。茎には下向きの小さな刺がある。花は数個が集まるが球状にはならない。

若い株を見つけ花はまだかと何度か通い、3回訪ねてようやく撮れました。

桃
白

イヌタデ

犬蓼

Persicaria longiseta

タデ科
花　期：6～10月
草　丈：30㎝前後
生育地：道端、草地、空き地
分　布：北海道～沖縄

空き地などでよく見られる。子供のままごと遊びで実を赤飯にするのでアカマンマの名でも親しまれる。秋が花盛りだが初夏頃から咲いている。

実は花に包まれたまま熟すので色はピンク色

ピンクの花が穂にたくさんつく様子は可愛らしく、見つけるとうれしくなります。

オオイヌタデ

大犬蓼

Persicaria lapathifolia var.lapathifolia

タデ科
花　期：6～11月
草　丈：1.4m前後
生育地：草地、河原、空き地
分　布：北海道～九州

河川敷などで見られる。イヌタデよりもずっと大きく名もそこから。茎は枝分かれしてよく赤みを帯びる。花弁に見えるものは萼片（がくへん）で花後も残る。

花の穂は垂れる。色は白や淡いピンク色

河川敷での撮影ですが他の雑草の上に伸び出て咲く花はよく目立ちました。

初秋

桃

花期
1
2
3
4
5
6
7
8
9
10
11
12

初秋

大きな草姿はたくましさも感じさせる

節は太く托葉は茎を包む

葉は両面に毛がある

タデ科
花　期：7～10月
草　丈：1.5m前後
生育地：花壇、庭、河原
原　産：インド～中国

オオケタデ

大毛蓼

Persicaria orientalis

タデの仲間のなかでは最も丈が高くなり、派手な紅い色の大きい穂と、太くてがっしりした茎は壮観です。

雄しべが出ている花

赤
桃

庭などに植えられるが、野生化もしていて、荒れ地や河原などで群生しているのを見かける。大形で丈も高く、全体に毛が多いことからオオケタデ。茎は上の方で枝分かれし、紅色の濃いボリュームのある穂がたくさんつく。その姿は遠目にもよく目立つ。

葉は柄のつくところが赤い

実はソバの実より大きい

タデ科
花　期：10月
草　丈：60〜100cm
生育地：川岸、林のふち
原　産：インド北部

全体は直立せず斜上ぎみに伸びる。葉の形も特徴的

川沿いの散歩道ではシャクチリソバが盛大に茂り秋には花が咲きそば畑のよう。蕎麦として食べられないのが残念。

シャクチリソバ

赤地利蕎麦

Fagopyrum cymosum

ヒマラヤソバ、シュッコンソバとも言われ、川岸の草地や石垣などで見かける。根元から茎を複数出して伸び広がり、葉は長い柄がある三角形。葉のわきから枝を出しその先に小さな花を穂状（すいじょう）につける。昭和初期に薬用として導入されたが、各地に野生化している。

花。葯のピンク色が可愛らしい

旺盛に伸びて花をつけ、よく群生する

実は赤く、見るも楽しい

ナス科
花　期：7〜11月
草　丈：1〜2m
生育地：林のふち、土手、河原、海岸
分　布：北海道〜沖縄

クコ

枸杞

Lycium chinense

木々の葉も色づいてきて秋の気配を感じながらの散歩でのこと。クコの緑の葉があり花も咲いていて撮影開始。

花は5弁に平開する

土手などでよく見かける落葉の木だが、新しく伸びた枝は柔らかく草のように感じる。葉はおひたしやクコ茶に、実は薬用やクコ酒によく利用される。枝には刺があることが多い。葉のわきに紫色の花をつけるが花期が長く、花と実を同時に見ることも多い。

ホテイアオイ

布袋葵

Eichhornia crassipes

ミズアオイ科
花　期：8〜10月
草　丈：20㎝前後（水面上の高さ）
生育地：水槽、池
原　産：熱帯アメリカ

水に浮く水性の園芸植物。まるい葉柄（ようへい）を布袋（ほてい）様の腹に見立てて名がついた。花が美しく栽培されるが、暖地では水路などの害草ともなっている。

英名はウォーター・ヒヤシンス

園芸店や金魚屋さんで売られていますが、世界各地で野生化している丈夫な水草です。

クワクサ

桑草

Fatoua villosa

クワ科
花　期：9〜10月
草　丈：60㎝前後
生育地：道端、草地、空き地
分　布：北海道〜沖縄

地味な草だが秋によく見られる。葉はざらつき柄が長く、そのつけねに花の穂がつく。花は雄花と雌花が混じり雄しべの白い葯（やく）がポツポツ見える。

花の穂は茎に沿うようにつき、葉は外に広がる

別名はマンジュシャゲ。中国原産で日本のものは実がならない

葉は花後に出て冬を越す

シロバナヒガンバナ

ヒガンバナ科
花　期：9月
草　丈：40㎝前後
生育地：土手、道端、庭、公園
原　産：中国

ヒガンバナ

彼岸花

Lycoris radiata

葉は花が枯れる頃に芽吹きますが、猛暑の年など、まだ花が咲いている頃から葉が出始めることもあります。

花は長い雄しべが多数出る

秋の彼岸の頃に咲くのでこの名があり、古くに日本に入ったと考えられていて、別名や方言名も多い。田の畦や土手に群生し、一帯を赤く染める。花が咲いているときには葉はなく、花が終わる頃出てくる。有毒植物でもある。シロバナヒガンバナは花が白く大きい。

葉は中央がへこむ

雑草とされるが、つやのある花の穂はなかなか美しい

カヤツリグサ科
花　期：7～10月
草　丈：30㎝前後
生育地：海岸の砂地、畑地、道端
分　布：本州～沖縄

ハマスゲ

浜菅

Cyperus rotundus

名前の印象では海岸の植物のように思いがちですが、街の中でもよく見られる草です。

砂浜や畑の周辺など、日当たりのよい所で見られる。名にハマとつくが、海岸以外にも多い。花の穂は赤褐色でつやがあり、茎や葉は濃い緑色。漢方では香附子(こうぶし)と呼ばれ、塊茎(かいけい)（地下茎の先端が肥大したもの）を乾燥したものが生薬として利用される。

花。雄しべ、雌しべが出ている

花の穂は黄褐色で光沢がある

コゴメガヤツリの花

カヤツリグサ科
花　期：8〜10月
草　丈：40〜60㎝
生育地：道端、草地、畑地
分　布：本州〜九州

カヤツリグサ

蚊帳吊草

Cyperus microiria

2列に並ぶ米粒のようなものが花

道端や草地などでふつうに見られる雑草の１つ。茎は三角形で直立し、茎の先に数個の花の穂を出し、黄褐色の小さい花をつける。茎を両端から裂くと四角形ができ、これを蚊帳(かや)に見立てたのが名の由来。コゴメガヤツリはよく似ているが、花は小さい。

葉は狭卵形で先がとがる

葉の下の鞘には毛が多い

水辺のコブナグサ。花はススキのように穂が集まる

イネ科
花　期：9〜11月
草　丈：20〜50㎝
生育地：道端、田の畦、草地
分　布：北海道〜沖縄

コブナグサ

小鮒草
Arthraxon hispidus

田んぼの畦に生えている印象ですが、水面を背景にしたこの写真は多くの水生植物を栽培している公園での撮影。

湿った草地などに生えるイネ科の仲間。葉の形を小さなフナにたとえたのが名の由来。八丈島ではカリヤスと呼ばれ黄八丈の黄色の染料に使われる。花の穂は細く多数がまとまって茎の上につき、ときに紫色を帯びる。葉は狭い卵形で先はとがり、基部は茎を抱く。

花。雄しべと雌しべが出ている

花期は雄花が目立つ。実は緑、黒、白色と色合いが変わる

ハトムギ

イネ科
花　期：9～11月
草　丈：90㎝前後
生育地：水辺や湿った草地
原　産：熱帯アジア

ジュズダマ

数珠玉

Coix lacryma-jobi

中を見たくて、噛んでみたところかたくて歯がたたず、ニッパーを使って割ったことがあります。

雌花は壺の中にあり、雄花は外に出る

川岸や畦など湿地に生え、市街地でも川を暗渠（あんきょ）にしたような所で見られる。大形の草でまるくかたい実をつける。この実は苞葉（ほうよう）が壺形に変形したもので、花の時期は中に雌花があり雄花は外にぶら下がる。ハトムギはジュズダマの変種で食用や薬用に栽培される。

花期
1
2
3
4
5
6
7
8
9
10
11
12

ペニセタム・セタケウム

イネ科
花　期：9〜10月
草　丈：2.5m前後
生育地：公園の植え込み、花壇
原　産：南アメリカ

シロガネヨシとも呼ばれる

初秋

パンパスグラス

シロガネヨシ
Cortaderia selloana

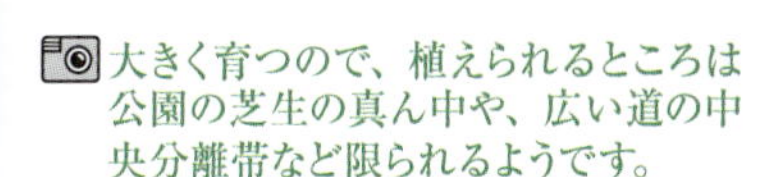
大きく育つので、植えられるところは公園の芝生の真ん中や、広い道の中央分離帯など限られるようです。

全体の大きさと、銀白色の大きな花の穂が目を引く。明治時代に渡来し、公園などのシンボル的な所によく植えられている。葉は縁が鋭いので注意が必要。大形ではないがペニセタム・セタケウムは、紫色を帯びた色合いの穂が美しく、花壇などに植えられる。

花の穂は直立する

白
緑

花期

1
2
3
4
5
6
7
8
9
10
11
12

初秋

草地や河原などによく群生する

秋には全体が色づく

イネ科
花　期：9～11月
草　丈：70㎝前後
生育地：道端、草地、空き地
原　産：北アメリカ

メリケンカルカヤ

米利堅刈萱

Andropogon virginicus

種子は風に乗って広がるので、植えた覚えがないのに芽が出るほど、繁殖力の強い植物です。

花の雄しべと雌しべ

市街地から野山まで見られる帰化植物。第二次大戦後に確認されたが、繁殖力は旺盛で分布を広げている。葉は茎に沿って直立するので、一見、茎だけが生えているように見える。花の穂には白い毛が多数あり、秋に全体が紅葉するとよく目立つ。

白

緑

アオチカラシバ

大きな穂は遠目にも目立つ

イネ科
花　期：8～11月
草　丈：60㎝前後
生育地：道端、公園の草地など
分　布：北海道（西南部）～沖縄

チカラシバ

力芝

Pennisetum alopecuroides

子供の頃、穂を下からしごいて手の中に集め、それを栗のいがと言って、遊んだことを思い出します。

ブラシ状の大きな穂が目立つ丈夫な草。花には濃い紫色の長い毛があり、穂全体は濃紫色に見える。ときに淡緑色のものがあり、アオチカラシバという。よく人に踏まれるようなかたい地面に生え、力いっぱい引っ張っても抜けないことから名がついた。

花には長い毛がある

花茎の上部の花は白い雌しべ、雄しべが見える

花。長い芒がある

実の時期、粘液を出す

イネ科
花　期：8〜10月
草　丈：25㎝前後
生育地：林の下、道端
分　布：北海道〜沖縄

チヂミザサ

縮笹

Oplismenus undulatifolius

葉。ふちが波打ち全体にしわがよる

林の下や林縁などでよく見かける。茎の下部は地面を這い、枝は斜めに立ち上がる。葉は笹の葉に似てふちはやや波打ち、名もここからついた。花には芒(のぎ)があり、実の時期にはべたつき服などによくついて取りにくい。全体に毛が多いものをケチヂミザサと呼ぶ。

種子は褐色

葉は楕円形で密につく

タデ科
花　期：10～7月
草　丈：ほふく性
生育地：道端、藪、林のふち
原　産：ヒマラヤ

石垣をおおうように咲いていた

ヒメツルソバ

姫蔓蕎麦

Persicaria capitata

明治時代に観賞用に導入されたが、雑草化し、まるいピンクの花の穂が、道端などを埋めつくしているのを見かける。地面を這って広がり、丈夫なので、グランドカバーなどにも利用される。葉にはV字形の斑(ふ)がある。花期は長いが、晩秋の頃が花の勢いもよい。

まるい穂は、小さい花が多数集まる

花期

1
2
3
4
5
6
7
8
9
10
11
12

初秋

秋の陽に一斉に咲く。また土に植えずに置いておいても花が咲く

品種「ウォーター・リリー」

白花の品種

イヌサフラン科
花　期：9〜10月
草　丈：15㎝前後
生育地：庭、鉢植え
原　産：ヨーロッパ、中東、北アフリカ

コルチカム

イヌサフラン

Colchicum

紫

桃

白

雄しべは6個。クロッカスは3個

秋に地面から突然のように花だけが出て咲く。クロッカス（p.30）に似ているが雄しべの数が違うので別種とわかる。葉は翌春に出て初夏頃には枯れる。種子や球根に毒性があるが、その成分の1つは園芸植物の育種などに利用される。イヌサフランとも呼ばれる。

花が終わった後の若い実

前年の枯れた茎と春の新葉

キジカクシ科
花　期：8〜9月
草　丈：30㎝前後
生育地：草地、芝地
分　布：北海道（西南部）〜沖縄

花の穂は下から上に咲き上がっていく

ツルボ

蔓穂

Barnardia japonica

野山の草地や海岸近くに生えるが、公園などで見かけることもある。この花が咲くと夏も終わりという感じになる。花は淡いピンク色で小さく、穂になって咲く姿は美しい。群生すると一面がやさしい色合いになる。葉は春に出るが、花の頃には枯れているものもある。

1つの花は小さい

花期
1
2
3
4
5
6
7
8
9
10
11
12

初秋

丈夫で花もたくさんつけ、秋の庭を彩る

自生のホトトギス

ユリ科
花　期：9〜10月
草　丈：70cm前後
生育地：花壇、庭
原　産：東アジア

タイワンホトトギス

台湾不如帰
Tricyrtis formosana

鉢植えのものでも、半日陰で湿り気のある所に置けば、手をかけなくても毎年花が咲きます。

青
紫
桃

花後、熟した実

ホトトギスは山地に生え、山野草として鉢植えにもされるが、庭や花壇などで見るものはタイワンホトトギスのことが多い。自生種に比べ、茎はよく枝分かれして花も多数つく。ホトトギスとの交配による品種も多く、色も白っぽいものや青色が入るものなどさまざま。

実はほぐれて風に飛ぶ

根元の葉

キク科
花　期：8～10月
草　丈：70㎝前後
生育地：道端、草地
分　布：本州（近畿地方以北）

秋に咲くアザミ類は多いが、比較的人里で見られる

ノハラアザミ

野原薊

Cirsium oligophyllum

ノアザミ(p.128)に似ているが、秋に咲き、花の下の筒状の部分（総苞）が粘らないことが大きな違い。総苞には真綿のような毛がある。根元の葉は花の時期も大きく広がる。葉のふちは深く切れ込み、先には刺がある。道沿いの土手や野原に生え、名もそこから。

花は上向きに咲く

とくに薬効があるわけではなく、名の由来も諸説あるが不明

総苞（そうほう）は黒みを帯びる

葉のふちは浅く切れ込む

キク科
花　期：8～11月
草　丈：70cm前後
生育地：道端、林のふち
分　布：北海道～九州

ヤクシソウ

薬師草

Crepidiastrum denticulatum

食べると苦味があり、いかにも薬効がありそうなので薬師草と名がついたのですが、実際には薬効はほとんどないようです。

花は明るい黄色

日当たりのよい野山の林のふちなどに生える。夏の終わり頃から咲き、花期は長いが晩秋というイメージが強く、秋も遅くまでちらほらと咲いている。蕾は細く、黒っぽい緑色で、花は終わるとそろって下向きに垂れる。この様子は独特で、ヤクシソウとわかる。

実の時期。実は毛がある

葉の元は柄に流れる

キク科
花　期：8～11月
草　丈：40㎝前後
生育地：草地、
林のふち
分　布：北海道～九州

少し寂しくなってきた秋の野に彩りを添える

アキノキリンソウ

秋の麒麟草

Solidago virgaurea ssp. asiatica

別名はアワダチソウですがセイタカアワダチソウとは印象が違い、秋の野に似合う清楚な雰囲気です。

野山の草地や高原、河原でよく見られる秋の草花。同じ黄花のキリンソウ（p.81）にたとえた名といわれ、花の様子からアワダチソウの名もある。茎の上方に黄色い花が多数咲くが、生えている場所や時期により、ボリュームのある株や、ほっそりしたものがある。

花弁に見える舌状花（ぜつじょうか）はまばらにつく

花は鮮やかな黄色。葉の裏は白く、ふちも白くて美しい

山に咲くリュウノウギク

キク科
花　期：9〜12月
草　丈：30〜40cm
生育地：花壇、庭、海岸
分　布：本州（千葉〜静岡県の太平洋側）

イソギク

磯菊

Chrysanthemum pacificum

ハナイソギクは舌状花がある

海岸の崖地などに生えるが、古くから栽培もされる。花は筒状花（とうじょうか）（筒形の小さい花）が集まったものが多数咲き、まれに白い舌状花（ぜつじょうか）のあるハナイソギクもある。山地にはリュウノウギクが咲き、秋はキクの季節で、野に咲くもの、栽培されるものなどさまざまある。

大菊　厚物　三本仕立ての展示
栽培に技術を要し、見事に仕立てられた花の展示会が各地で開かれる。

コギク
花が小さめで、花壇や鉢植えなどで見られ、いくつかの種類がある。

秋のコラム

花と共に巡る植物写真家の一年

Autumn

暦の上では秋なのに夏のような暑い日が続くことが多くなってきた中で、暑さに惑わされることなくヒガンバナ、オミナエシ、アキノノゲシなど、秋の花たちが咲きだします。猛暑の中で咲くこうした花は秋の花というイメージがわかず、撮影していても夏の花を撮っている気分。暑さも落ちつき木々が色づいてくるとキチジョウソウなどの次の秋の花たちが咲きだします。そして冬の気配が感じられる頃にリンドウの残り花に出会うと一年の締めくくりの気分で写真を撮ります。考えてみると私はヒメウズの一番花で春の訪れを知り、リンドウの残り花でシーズンの終わりを実感しているように思います。

斑入り葉の品種。花も美しいが、葉も観賞の対象

実の時期

葉はまるく、厚みがある

キク科
花　期：10～12月
草　丈：70cm前後
生育地：花壇、庭、海岸
分　布：本州（福島、石川県以南）～沖縄

ツワブキ

石蕗

Farfugium japonicum

若い葉は柔らかく食べられます。刻んで油で炒めると美味で春の香りがします。

花は直径4～6cmほど

海辺の林のふちや、岩の上などに生えるが、庭や花壇にも植えられる。葉がフキ（p.10）に似ていて、つやがあるので名があるといわれ、フキと同様に葉や葉の柄は食べられる。花の少ない秋から冬に、鮮やかな黄色の花をつけるのでよく植えられ、品種もある。

厚く光沢のある葉

キク科
花　期：9〜11月
草　丈：60cm前後
生育地：花壇、庭、海岸
分　布：本州（青森〜茨城県）

花壇でも大きな株をつくり、花を多数咲かせる

花壇のハマギクも品種改良されたものではなく、海岸に咲くものと同じなので、野生の美しさがあります。

ハマギク

浜菊

Nipponanthemum nipponicum

海岸の岩場などに生えるが、分布は青森県から茨城県の太平洋岸と、限られている。日本特産の野生種だが、花が大きく美しいので、花壇などにも植えられる。海辺の植物らしく、葉は肉厚で光沢があり、密につき、茎は木のようにかたく太くなる。

花は大きく、直径6cmほど

花期
1
2
3
4
5
6
7
8
9
10
11
12

秋

黄

葉は多数つくが、細いので花におおわれ目立たない

葉は中央にすじがある

キク科
花　期：10〜11月
草　丈：1.3m前後
生育地：花壇、庭
原　産：北アメリカ

ヤナギバヒマワリ

柳葉向日葵
Helianthus salicifolius

草丈が高く、茎の上にたくさん花を咲かせる様子は、晩秋の花壇では、ひときわ目立つ存在です。

レモンイエローの花

ヒマワリの仲間で、秋の庭などで見かける。葉が細く茎は直立し、上の方に多数の花をつける。草丈の低い品種などは、株をおおうほどになる。花は明るい黄色で中心は褐色。細い葉を柳にたとえた名だが、学名から、単にヘリアンサスとも呼ばれることもある。

さらに大形のニトベギク

キク科
花　期：11～12月
草　丈：4m 前後
生育地：花壇、庭
原　産：メキシコ

花は横向きか、やや下向きに咲く

以前はテレビのニュースになるほど珍しい植物でしたが、今ではあちこちで見かけるようになりました。

コダチダリア

木立ダリア
Dahlia imperialis

コダチ（木立）とつくように、丈は見上げるほど大きくなり、皇帝ダリアともいわれる。茎も太く、下の方はまるで竹かと思うほど。花壇も寂しい晩秋に、淡紫色の大きな花を咲かせる。別種だが、さらに大きく低木状になり、黄色の花を咲かせるのはニトベギク。

秋の陽を浴びる花

全体がこんもりと茂り、大きい赤い実が目立つ

実は直径1.5～2㎝ほど

葉は細長い楕円形

ナス科
花　期：6～10月
果　期：8～12月
草　丈：40㎝前後
生育地：庭、鉢植え、道端
原　産：ヨーロッパ

フユサンゴ

冬珊瑚

Solanum pseudocapsicum

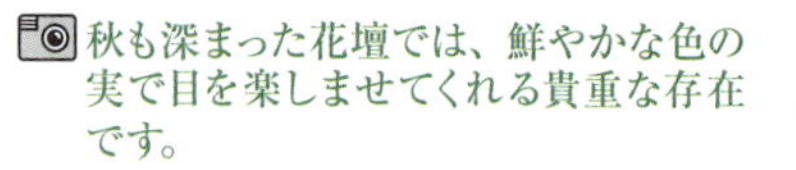

秋も深まった花壇では、鮮やかな色の実で目を楽しませてくれる貴重な存在です。

冬にも赤い実は落ちないのでフユサンゴ、別名タマサンゴともいう。葉は常緑で、高さは30～50㎝ほどの小低木。庭に植えられ、鉢植えにもされるが、道端などに生えていることもある。実は秋に熟すが、花期は長く、花と実が一緒についていることもある。

花は橙色の雄しべが目立つ

リンドウの実

林の下で咲く自生のリンドウ

リンドウ科
花　期：9～11月
草　丈：20～80㎝
生育地：花壇、庭、野山の林のふち
分　布：北海道～九州

リンドウ

竜胆

Gentiana scabra var.buergeri

晩秋に野山で出会うリンドウは、シーズンの終わりを実感させ、秋の花の真打に出会った気分になります。

秋を代表する花でもあり、花の少なくなった林縁などではその紫色が目を引く。庭や花壇で見られ、切り花にもされるのは、山地に自生するリンドウ類の園芸品種。紫色のほかピンクや白もある。花は日差しがあると開くが、曇りや夕方には閉じる。

品種「いわて乙女」

秋空に赤い実が映える

葉は暗い緑色

キカラスウリの実

ウリ科
花　期：8〜9月
果　期：10〜12月
草　丈：つる性
生育地：道端、藪、空き地
分　布：本州〜九州

カラスウリ

烏瓜

Trichosanthes cucumeroides

夜に咲く花なので、明るいうちに蕾を見つけておき、ストロボや三脚を用意して夕方になってから撮影に出向きます。

花は夜に咲く

林のふちや空き地、藪などでよく見られるが、秋の赤い実で気がつくことも多い。花は白いレースを広げたような繊細な形。夜に咲き、蛾を呼び寄せる。キカラスウリは花のレース部分が短い。実は黄色で、カラスウリより大きく、熟すと甘くなり鳥がよく食べる。

正常な実と種子

葉は3〜5つに切れ込む

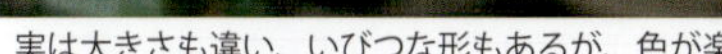

実は大きさも違い、いびつな形もあるが、色が楽しい

ブドウ科
花　期：7〜8月
果　期：10〜12月
草　丈：つる性
生育地：道端、藪、林のふち
分　布：北海道〜沖縄

ノブドウ

野葡萄

Ampelopsis glandulosa var. heterophylla

市街地から野山までよく見られる。巻きひげでからみついて伸び、小さな花を多数つける。実はピンク、白、瑠璃（るり）色などがとりどりにつき、よく目につく。種子の入った正常な実は少なく、ほとんどが虫こぶになっていて、中にはタマバエ類の幼虫が入っている。

花は薄緑色

果期
1
2
3
4
5
6
7
8
9
10
11
12

別名はカミエビ。花よりも粉をふいたような実が目につく

小さい花は穂状

ツヅラフジ科
花　期：7〜8月
果　期：9〜12月
草　丈：つる性
生育地：道端、藪、林のふち
分　布：本州〜沖縄

秋

アオツヅラフジ

青葛藤

Cocculus trilobus

青

雄株と雌株は別々。写真は雌花

林のふちなどに多いが、市街地でも、つるでほかの物にからみついているのを見かける。花は小さくて目立たず、実は粉をかぶったような紺色で、数個が集まってつく。葉の形はさまざまだが、ふちは滑らかで、浅く切れ込むものや切れ込まないものがある。

白
黄

葉は中央脈が白い

川沿いで見られた株。繁殖力が強くオギなどに代わる勢い

イネ科
花　期：7～10月
草　丈：1～1.8m
生育地：道端、荒れ地、土手
原　産：地中海地域

セイバンモロコシ

西蕃蜀黍

Sorghum halepense

都市近郊の川の水辺でよく目につきます。帰化植物ばかりになり悲しいなと思いつつカメラを向けました。

土手や荒れ地によく群生している。花の穂が出ないうちはススキ(p.375)に似るが葉のふちはざらつかない。花の穂全体は大きく、赤みを帯びるものもある。昭和の時代に気づかれた帰化植物だが、戦後各地に広がり畑などでは強い雑草として嫌われている。

花。やや赤みを帯びている

水辺のヨシ原はたくさんの生き物を育んでいる

実の時期。白い毛が目立つ

イネ科
花　期：8〜10月
草　丈：2.5m前後
生育地：池や沼などの水辺、川岸
分　布：北海道〜沖縄

ヨシ

葦、蘆、葭

Phragmites australis

本来はアシと呼んでいたのですが、「悪し」に通ずるというので、ヨシ「良し」とも呼ぶようになりました。

花の穂は全体が褐色

池や川などの水辺で見られ、根元が水に浸かるような所に生える。ススキ（次ページ）やオギ（p.376）に比べ葉は短いが丈は高く、川岸を埋めつくすような大群落をつくることもある。昔からよく利用され、葦簀(よしず)をつくったりススキと同じく茅葺(かやぶき)屋根を葺(ふ)くのに使われる。

花には芒（のぎ）がある

品種「タカノハススキ」

イネ科
花　期：8〜10月
草　丈：1.5m前後
生育地：野山の草地
分　布：北海道〜沖縄

穂は淡褐色だが、実の時期は白くふわふわした感じになる

ススキ

薄、芒

Miscanthus sinensis

初秋の若い穂、秋の銀色に輝く穂、冬の枯れ薄。写真の被写体として、秋から冬を表現するための貴重な存在です。

道端や草地、野山のやや乾いたような所で見かける。茎は複数がまとまって生え、株立ち状になる。花の穂は多数が集まり房状。オバナの名で秋の七草の１つにも数えられ、お月見にも飾られる。葉に斑（ふ）が入る園芸品種もあり、和風の庭園や公園に植えられる。

花。雄しべが出ている

花期
1
2
3
4
5
6
7
8
9
10
11
12

秋

白

銀色の穂が風にゆれる

葉のふちはざらつく

イネ科
花　期：9〜10月
草　丈：2m前後
生育地：池や沼の水辺、河原
分　布：北海道〜九州

オギ

荻

Miscanthus sacchariflorus

穂全体がススキよりもボリュームがあります。1つの花を見るとススキは長い芒があり、オギには見当たりません。

花は毛が多く芒(のぎ)はない

河原などに大群落をつくる大形の草。ススキ（p.375）によく似ているがススキよりも大きくなる。湿地に生え、花の穂は銀色でつやがありふさふさした感じがする。ススキのように株立ちせず、1本ずつ生える。また、茎の下の方の葉は少ないなどで見分けられる。

ヒメガマ

穂の形がユニークで、花材にも使われる

ガマ科
花　期：6〜8月
果　期：9〜12月
草　丈：1.8m前後
生育地：池や沼、川岸などの水辺
分　布：北海道〜九州

ガマ

蒲

Typha latifolia

晩秋、ソーセージを思わせるかたく詰まった穂がほぐれ、毛のついた無数の種子が風に乗り飛び出す様子は壮観です。

池や川などの水辺に生える。ソーセージのようなガマの穂は、雌花の穂が熟したもの。花の時期は、上に雄花の穂がついている。ほかに、全体が小さいコガマがあり、雄花と雌花の間が離れているのがヒメガマ。花粉は切り傷や火傷の薬にされる。

全体に小さいコガマ

果期
1
2
3
4
5
6
7
8
9
10
11
12

秋

実のなかには薄い羽のついた種子がある

むかごは食べられる

掘り出した自然薯

ヤマノイモ科
花　期：7〜8月
果　期：10〜12月
草　丈：つる性
生育地：道端、藪、林のふち
分　布：本州〜沖縄

ヤマノイモ

山の芋

Dioscorea japonica

自然薯を掘った穴をそのままにするのはルール違反。翌年芽が出るよう芋の一部を残して埋め戻すことが必要です。

雄花と葉

太い根を自然薯（ジネンジョ）と呼び、とろろにして食べるのでおなじみ。野山に生えるが、公園の植え込みや道端の藪などにつるを伸ばしていることもある。雄花は穂になって直立し、雌花は垂れ下がる。葉のつけねにはむかごがつく。実は 3 枚のヒレに分かれる。

白

緑

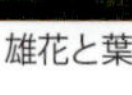

雄花と葉

カエデドコロの葉と花

ヤマノイモ科
花　期：7〜8月
果　期：10〜12月
草　丈：つる性
生育地：道端、藪、林のふち
分　布：北海道〜九州

単にトコロともいわれる。紅葉した葉と実

オニドコロ

鬼野老

Dioscorea tokoro

自然薯掘りでは冬木に残る実の殻で場所を探すのですが、オニドコロの実の殻もあり判別に苦労させられます。

野山や市街地でも見かける。つる性で、ヤマノイモよりも葉は幅広いハート形。雄花の穂は直立し、雌花の穂は垂れ下がる。むかごはつかず、根は太くてかたく、食べられない。同じつる植物のカエデドコロは葉が切れ込み、花はオレンジ色で小さいが目につく。

雌花の穂は垂れ下がる

花期
1
2
3
4
5
6
7
8
9
10
11
12

秋

ダイヤモンドリリーともいう。写真はネリネ・クリスパ種

赤い花の品種

花弁にすじがある品種

ヒガンバナ科
花　期：10～11月
草　丈：40㎝前後
生育地：花壇、庭
原　産：南アフリカ

ネリネ

ダイヤモンドリリー

Nerine

散歩道で見かけたネリネ・クリスパは11月頃に咲き出し、12月になっても1月になっても咲き続けていて驚かされます。

品種「パープルプリンス」

鉢植えなどでよく見かける。ヒガンバナ（p.346）によく似ているが別の仲間。花期もやや違い、ほかの花が少なくなった秋も遅くに咲き、寂しくなった庭に彩りをそえる。日本へは大正時代に渡来。花色もピンクのほか、赤、白などさまざまある。

赤
桃
白

斑入りの品種「紫雲楽」

キジカクシ科
花　期：5〜7月
果　期：10〜1月
草　丈：10㎝前後
　　　（花茎）
生育地：鉢植え、林下
分　布：本州（関東地方以西）〜九州

古典的な園芸植物でその品種数は非常に多い

オモト

万年青

Rohdea japonica

花は葉に隠れるように咲いていて目立ちませんが、赤く色づく実は冬枯れのなかでは緑の葉を背景にひときわ鮮やかです。

庭や鉢植えで見られる。葉は常緑でつやがあり、冬に大きめの赤い実をつける。暖地の林内に自生するが、主に、この実と葉を観賞するために栽培される。花はこん棒状にかたまってつく。江戸時代から多くの品種がつくられ、幾度かの園芸ブームも起こした。

花は淡黄色で初夏に咲く

この花が咲くと吉事があるということから名がある

葉は集まって出る

実は初冬に見られる

キジカクシ科
花　期：9〜10月
草　丈：12cm前後（花茎）
生育地：林の下、半日陰の植え込み
分　布：本州(関東地方以西)〜九州

キチジョウソウ

吉祥草

Reineckea carnea

紅葉を楽しみながらの散歩で、木々の下に茂るキチジョウソウの花に出会うと紅葉も花も楽しめ、得した気分になります。

花弁は反りかえる

暖地の林のなかなどに生えるが、庭園や神社の林の下などにも植えられる。葉は常緑で、縦のすじが目立つ。花は葉の根元に穂になって咲くが、隠れて見えないことも多い。花弁の裏や花茎は赤紫色なので、花穂（かすい）全体は華やかな色合い。実は赤く熟す。

葉が切れ込む切れ葉系

ミニハボタンの寄せ植え

アブラナ科
葉の観賞期：
12〜2月
草　丈：30㎝前後
生育地：花壇、鉢植え
原　産：ヨーロッパ

ボリュームもあって色どりもよく冬の花壇を豪華にする

ハボタン

葉牡丹

Brassica oleracea var.acephala

冬の花壇では葉が主役でしたが、春になると中心部から茎が伸びてきて花が咲き2度楽しめます。

冬の花壇を彩る代表種で、結球しない系統のキャベツから改良された。葉が丸い東京丸葉系、葉がちぢれる名古屋ちりめん系、その中間の大阪丸葉系などがあり、ほかに葉が切れ込むものなどもある。春には鉢植えなどで、塔立ちして花を咲かせたものも見かける。

塔立ちして花が咲いたもの

ウィンターベル。学名でクレマチス・アンシュネンシスともいう

葉は常緑でつやがある

キンポウゲ科
花　期：10〜2月
草　丈：つる性
生育地：庭、鉢植え
原　産：南ヨーロッパ、中国

冬咲きクレマチス

Clematis

白い花が下向きに咲く

クレマチス（p.98）といえば、春から初夏の花だが、冬に咲くクレマチスも鉢植えで見かける。ウィンターベルと呼ばれるものは、花は小さめのベル形で、ぶらさがるように咲く。葉は光沢があって美しく通年楽しめる。冬咲きのものには、ほかにシルホーサ種がある。

さくいん

・太字は各ページタイトル種、細字は漢字名や別名、その他関連して紹介した品種です

[カ]

[タ]

［ナ］

［ハ］

[ヤ]

[ラ]

[ワ]

略　歴

鈴木 庸夫（すずき・いさお）
1952年、東京都生まれ。日本大学卒業。植物写真家の故冨成忠夫氏に師事し、その後独立。現在は植物写真ライブラリー「アントフォト」を主宰し幅広く草木の撮影を続けている。
主な著書に「野山の樹木」、「切り花図鑑」、「鉢花・育てる花」（小学館）、「葉・実・樹皮で確実にわかる樹木図鑑」（日本文芸社）、「花おりおり愛蔵版４、５」（共著）（朝日新聞社）、「草木の種子と果実」、「樹皮と冬芽」（誠文堂新光社）など多数。
ホームページ［自然を楽しむ］
http://anthois.a.la9.jp/anthois/

高橋 冬（たかはし・ふゆ）
1952年、岩手県生まれ。拓殖大学卒業。紙工作制作プロダクション勤務。その後 植物図鑑の編集、イラスト制作などを経て、1991年より植物写真ライブラリー「アントフォト」に勤務。仕事の合間に身近な公園や野山で植物観察を続ける。
「草木の種子と果実」、「樹皮と冬芽」（誠文堂新光社）の解説文を鈴木庸夫氏とともに執筆。

新版 散歩で見かける
草花・雑草図鑑

2024年３月　９日　初版発行
2024年６月 12 日　第２刷
写真　鈴木 庸夫　　解説　高橋 冬
イラスト　清野 典子
発行者　　亀井崇雄
発行所　　株式会社三省堂書店／創英社
東京都千代田区神田神保町１－１
Tel. 03－3291－2295
Fax. 03－3292－7687
印刷／製本　日本印刷株式会社

ISBN978-4-87923-001-0 C2045
Printed in Japan